xin dazhong zhexue

学好哲学 终生受用

王伟光　主编

人 民 出 版 社

责任编辑：任 哲 仲 欣

封面设计：石笑梦

版式设计：汪 莹

图书在版编目（CIP）数据

学好哲学 终生受用/王伟光 主编 .

－北京：人民出版社：中国社会科学出版社，2014.9（2021.11 重印）

（新大众哲学）

ISBN 978－7－01－013840－4

I.①学… II.① 王… III.①哲学－通俗读物 IV.① B–49

中国版本图书馆 CIP 数据核字（2014）第 191615 号

学好哲学 终生受用

XUEHAO ZHEXUE ZHONGSHENG SHOUYONG

王伟光 主编

人民出版社
中国社会科学出版社 出版发行

北京汇林印务有限公司印刷 新华书店经销

2014 年 9 月第 1 版 2021 年 11 月北京第 9 次印刷

开本：880 毫米 × 1230 毫米 1/32 印张：5.125

字数：90 千字

ISBN 978－7－01－013840－4 定价：14.00 元

邮购地址 100706 北京市东城区隆福寺街 99 号

人民东方图书销售中心 电话（010）65250042 65289539

目录

前　言 1

插上哲学的翅膀，飞向自由的王国 1

　　——哲学导论

　　一、为什么学哲学 4

　　二、哲学是什么 8

　　三、哲学的前世今生 19

　　四、哲学的左邻右舍 44

　　五、怎样学哲学用哲学 60

　　结　语 71

与时偕行的哲学 73

　　——马克思主义哲学

　　一、以科学赢得尊重 76

　　二、以立场获得力量 81

三、用实践实现革命 84

四、因创新引领时代 86

结　语 90

立足中国实际"说新话" 93

——马克思主义哲学中国化

一、繁荣发展的必经之路 97

二、自觉站在巨人肩上 102

三、深深扎根在中国大地 108

四、实现中国化的伟大飞跃 115

五、真正成为大众的思想武器 122

结　语 126

附　录　《新大众哲学》总目录 129

后　记 150

新大众哲学

前　言

　　20世纪30年代，著名马克思主义哲学家艾思奇（1910—1966年）写过一部脍炙人口的《大众哲学》（最初书名为《哲学讲话》）。该书紧扣时代脉搏，密切联系中国实际，将马克思主义哲学的基本道理以生动活泼的形式，深入浅出的笔法，贴近大众的语言，通俗而生动地表达出来了。《大众哲学》像一盏明灯，启蒙了成千上万的人们走上中国共产党领导的革命道路。

　　光阴如梭，《大众哲学》问世迄今已逾八十年。八十年在人类历史上只是短暂的一瞬，但生活在这个时代的人们却经历着沧桑巨变！人们能够真切地感受到，科学技术发展一日千里，全球化、信息化浪潮汹涌澎湃，工人阶级和社会主义运动势不可当，当代资本主义内在矛盾激化演变，中国特色社会主义实践日新月异，人们的生活"每天都是新的"。历史时代和社会实践的显著变化，呼唤新的哲学思考。以当年"大众哲学"的方式对现实作出世界观方法论的解答，写出适应时代的"新大众哲学"，既是艾思奇生前未竟的夙愿，更是实践的新需要、人民的新期待、党和国家的新要求。

今天编写《新大众哲学》，要力图准确判断和反映时代的新变化，进行新的哲学的分析。纵观人类历史发展的总体进程，我们的时代是资本主义逐步走向灭亡、社会主义逐步走向胜利的历史时代。尽管马克思主义经典作家早就敲响了资本主义的丧钟，但旧制度的寿终正寝却是一个漫长的历史过程。试看当今世界，通过工人阶级和劳动大众的持续抗争，资本主义不再那么明火执仗、赤裸裸地掠夺，而是进行生产关系与上层建筑体制的局部调整，运用"巧实力"或金融手段实施统治。资本主义不仅没有马上"死亡"，反而表现出一定的活力，然而其不可克服的内在矛盾导致的衰退趋势却是不可逆转的；苏东剧变之后，尽管国际共产主义运动陷入低潮，但社会主义中国则以改革开放为主旋律蓬勃兴起，中国特色社会主义的成功开拓，推动共产主义运动始出低谷。资本主义与社会主义的竞争、较量、博弈正以一种新的形式全面展开。时代的阶段主题由"战争与革命"转向"和平与发展"，但马克思主义经典作家所揭示的整个时代的基本矛盾并没有改变，人类历史的新的社会形态终将代替旧的社会形态的历史总趋势并没有改变，引领时代潮流的时代精神——马克思主义世界观方法论并没有过时。马克思主义哲学是社会实践的理性概括。作为科学社会主义理论基础的马克思主义哲学，需要重新审视资本主义和社会主义及其关系，给大众提供认识社会历史进程和人类前途命运的新视野。《新大众哲学》要准确把握时代变化的实质，引领大众进行新的哲学认知。

编写《新大众哲学》，要力图科学思考和回答科技创新和生产力发展的新问题，赋予新的哲学的概括。科学技术已经成为"第一生产力"，全面、深刻地塑造着整个世界。全球化、信息化、市场化，高新科技的发展和应用，令世界的面貌日新月异。现代资本主义几十年所创造的生产力，远远超过了资本主义几百年、甚至人类社会成千上万年生产力的总和。社会主义中国在与资本主义的竞争中，正在实现赶超式发展。尽管马克思曾经提出"科学技术是生产力""世界历史理论"等一系列重要思想，但当今的科技创新和生产力发展，包括全球化、信息化、市场化对经济、政治、文化、社会的全方位渗透影响，仍然提出大量有待回答的哲学之问。马克思主义哲学是人类社会生产实践和科学研究实践的思想结晶，需要对社会生产实践和科学发展实践提出的问题

给予哲学的新解答。《新大众哲学》要科学总结高新技术和
生产力发展提出的新问题，提供从总体上把握问题、解决问
题的哲学智慧，进行新的哲学解读。

　　编写《新大众哲学》，要力图深刻总结中国特色社会主
义伟大实践中涌现出的新经验，作出新的哲学的概括。中
国特色社会主义是当代中国共产党人从事的一项"全新的事
业"。改革已经引起了中国社会的深刻变革、社会结构的深
刻变动、利益关系和思想观念的深刻变化，一方面推进了经
济社会的飞跃发展，另一方面又带来了新的社会矛盾。马克
思主义哲学理应正视人民大众利益需求的重大变化，探索满
足人民日益增长的物质和文化需要的有效途径，研究妥善处
理复杂的利益矛盾、建设富强民主文明和谐的社会主义现代
化国家的正确道路。《新大众哲学》在回答重大现实问题的
过程中，要对中国道路、中国模式、中国奇迹、中国特色社
会主义新鲜经验予以世界观方法论层面的哲学阐释。

　　编写《新大众哲学》，还要力图回应当代国内外流行的
各种哲学社会思潮，给予新的哲学的评判。哲学的发展离不
开现成的思想成果，马克思主义哲学是在批判地继承人类一
切优秀成果的基础上发展起来的，是在批判非马克思主义、
反马克思主义思潮的思想交锋中发展起来的。人们在错综复
杂的社会思潮冲击下，常常感到迷惘、困惑，辨不清是非，

找不到理想的追求和前行的方向。在这场"思想的盛宴"中，如何"尊重差异，包容多样"，让一切有益于中国特色社会主义建设的思想文化充分涌流；同时，批判错误的哲学思潮，弘扬正确的哲学观，凝聚社会共识，让主流意识形态占领阵地，是马克思主义哲学不容回避的历史任务。《新大众哲学》要在批判一切错误思想、吸取先进思想文明的基础上，担当起升华、创新马克思主义哲学的历史使命。

时代和时代性问题的变化，现实实践斗争的发展，既为马克思主义哲学提供了新的源泉，又不断地对其本身的发展提出急迫的需求。对于急剧变化和诸多问题，马克思主义哲学经典作家没有亲身面对过，更没有专门深入阐述过。任何思想家都不可能超越他们生活的时代，宣布超时代的结论。列宁说："我们并不苛求马克思或马克思主义者知道走向社会主义的道路上的一切具体情况。这是痴想。我们只知道这条道路的方向，我们只知道引导走这条道路的是什么样的阶级力量；至于在实践中具体如何走，那只能在千百万人开始行动以后由千百万人的经验来表明。"[1]但历史并不会因为理论的发展、理论的待建而停下自己的脚步。现实对马克思主义哲学创新充满期待，人们期待得到马克思主义创新的哲学观念的指导。

《新大众哲学》正是基于高度的使命感和理论自觉，努力高扬党的思想路线的旗帜，坚持解放思想、实事求是、与时俱进、求真务实，顺应时代潮流，深入思考和回答时代挑战与大众困惑。《新大众哲学》既不是哲学教科书，刻意追求体系的严密，也不是哲学专著，执着追求逻辑论证与理性推理；而是针对重大现实，以问题为中心，密切关注时代变化和形势发展，注重吸收人类思想新成果，进行哲学提升、理念创新，不拘泥于哲学体系的框架，以讲清哲学真理为准绳。在表达方式上，《新大众哲学》避免纯粹的抽象思辨和教科书式的照本宣科，以通俗化的群众语言来阐述，力求通俗易懂、生动活泼，贴近广大读者的新要求，让马克思主义哲学"讲中国老百姓的话"。

《新大众哲学》立足马克思主义哲学的本真精神，从总论、唯物论、辩证法、认识论、历史观、价值观、人生观七个方面围绕时代问题展开哲学诠释，力求将重大理论与现实问题提升到马克思主义哲学世界观方法论的高度加以分析与阐明，在回答重大理论与现实问题的进程中，力争推进马克思主义哲学的时代化、中国化和大众化。这是历史赋予马克思主义哲学义不容辞的责任，也是《新大众哲学》应当担当的历史重任和奋力实现的目标。或许，在这个信息爆炸、大众兴趣多样化的时代，这套丛书并不能解决大众所有的疑问和困惑，但《新大众哲学》愿与真诚的读者诸君一起求索，一道前行。

　　以上所述只是《新大众哲学》追求的写作目的，然而，由于《新大众哲学》作者们的水平能力有限，可能难以达到预期。再者，《新大众哲学》分七部分，且独立成篇，必要的重复在所难免。同时，作者们的文字功底不够扎实，文字上亦有不尽完善的地方。故恳请读者们指教，供《新大众哲学》再版时修订。

注　释

1 《列宁专题文集　论社会主义》，人民出版社 2009 年版，第 399 页。

插上哲学的翅膀，飞向自由的王国

——哲学导论

哲学就是理论化、系统化的世界观，哲学靠理论论证和逻辑分析系统地回答关于世界最一般的问题。

说到哲学，大多数人都会有一种复杂的感受，讨论的内容抽象晦涩，研究的问题也好像没有直接的用处，但神秘面纱背后的智慧与玄妙又显示出极大的魅力与吸引力。

　　说哲学百无一用并不冤枉。古希腊第一个哲学家泰勒斯（Thales，约前624—前546年）因仰望星空而掉进了脚下的土坑。目击这一幕的女奴嘲笑他，哲学连地上的坑都看不见，还看什么宇宙？从关于泰勒斯趣事的这个传说中，可以得到两个隐喻：一是哲学无用。哲学无用的看法实际来源于对哲学之用的狭义的理解。哲学的确不像某门具体科学、具体专业，有专门之用，如数学、物理、化学、生物、医学等都有专门之用。哲学是解决对世界一般规律的总体看法的，无专门的一技之用，但它具有世界观、方法论的总体用处。因此不能说哲学无用。二是哲学太空。认为哲学"空"、"虚"的看法也是对哲学的偏见造成的。哲学虽然是高度抽象的学问，但哲学来源于现实、服从现实、服务现实。哲人不应该只是"仰望天空"，必须同时脚踏实地关注脚下，也就是关注现实，面对现实，深入实践，联系实际，为人民群众的实践服务。

说哲学有神奇的力量更是事实。20世纪60年代末70年代初，世界格局悄然发生变化，中、美、苏三角关系有了新的转换。具有雄才大略的毛泽东以哲学的战略眼光观察世界大势，分析了中、美、苏三者之间的矛盾，看到了中美关系改善的可能性，通过乒乓外交打开了紧闭的中美关系的大门，为中国的发展赢得了时间和空间，显示了毛泽东高超的哲学智慧。1972年，毛泽东与当时的美国总统尼克松（Nixon，1913—1994年），两个大国的政治家在北京中南海菊香斋毛泽东书房破冰之旅的会面，毛泽东竟然是一句"我们只谈哲学，哲学谈好了，其他问题就解决了"。结果，毛泽东与尼克松谈哲学，哲学思维促成了"改变世界的一周"，中美关系缓和，建交遂成定局，《上海公报》正式签字，中美在隔绝了二十多年后正式建立外交关系，构成了国际新格局。

一、为什么学哲学

伟人的风范与作为总会引起人们的效仿，尤其是当人们看到哲学竟然有这么大的威力的时候。中国共产党的老一辈领导人陈云讲"学好哲学，终生受用"，这不仅是他自己的切身体会，也是中国共产党人对哲学的深刻认识。

现在大家都把这句话当作倡导学哲学的格言，但这只是他讲的一句话的后半句。为什么学好哲学可以终身受用呢？陈云也作了说明，就是他的前半句话"学习哲学，可以使人开窍"。不过，这里有一点需要向读者说明的是，陈云讲的"学习哲学"，就是特指"学习马克思主义哲学"。当然，学习马克思主义哲学，必须结合学习中外哲学史、中外哲学家的著作与思想，因为马克思主义哲学是批判地继承前人优秀哲学思想的结晶。

如果还想接着追问，为什么学习哲学可以使人开窍呢？答案也很明确，因为哲学是世界观和方法论，掌握了正确的世界观和科学的方法论，人就可以从迷到悟，从糊涂变明白，甚至还能增进智慧，自然就是终身受用了。

人生活在世界上，一定会对世界形成自己的看法，也一定要形成对世界的看法。但是大千世界无穷无垠，错综复杂，何处才是入手处，又如何才能避免犯只见树木不见森林、只见表面不见实质的错误？学习哲学，可以使人们自发、零散、片段的世界观变得系统化，因为哲学本来就是系统化了的世界观。认识世界不能只看现象，还要认识现象背后的本质，本质就是规律。各门科学包括自然科学和人文科学，解释的都只是自然和社会一个方面、一个领域、一个层面上的规律，而哲学揭示的是事物发展变化最普遍的规律。掌握了一般规律，既有助于认识特殊规律，更有助于从整体上认识和把握世界。马克思主义哲学揭示了自然界、人类社会和思维的最一般的规律，是指导人们认识世界、改造世界的最锐利的思想武器。当然，强调学哲学不是说其他领域的知识、其他的学科可以不学了，相反地许多有关的知识、学科都要认真学、刻苦学，不同的是有了哲学的根底，学其他知识会更有成效。

人生活在世界上总是要做事的，认识世界、改造世界更是很大的事。做事就要讲究方法，方法对了事半功倍，方法错了事倍功半。如何才能掌握科学的方法呢？哲学既是世界观，又是方法论。当然哲学不能教会人们去治病、去酿酒、去盖房，哲学作为方法论提供的不是什么具体的技能、技术、手艺和方法，而是分析问题、认识问题、解决问题的思想方法，这是做好一切工作的思想基础。

有马克思主义哲学这一世界观和方法论打底，就可以树立正确的、科学的价值观、人生观、幸福观、金钱观、家庭观等，让人们成为一个内心向上、行为积极、对社会有益的人；领导干部还会形成正确的政绩观、权力观、事业观等，成为一个对党忠诚、为民奉献、严于律己的好干部。有马克思主义哲学这一世界观和方法论打底，就可以认清历史大势，找准立场定位，始终站在最广大人民群众的立场上做历史的促进派，做人民的代言人，为人民干实事、做好事。

李瑞环是一位政治家，但他对哲学有浓厚的兴趣，对哲学也有深刻的感受："哲学这门学问说来也神，你的工作越变化、越新，它显得越有用；你的地位越高、场面越大，它的作用越大；你碰到的问题越困难、越复杂，它的效力越神奇；面对的问题越关键，它发挥的作用越关键。"[1] 当这番话从一个有着丰富政治经验的实践者口中说出的时候，相信他一定感受到了与陈云的心意相通，因为这番话其实就是对陈云那番话最好的注解。

也正因为如此，一代又一代的中国共产党人都对学习哲学给予了高度的重视。毛泽东在延安时期发动了哲学学习运动，带动全党大兴学习哲学的风气，通过学哲学来解决"我们共产党人眼力不够"的问题，解决领导干部的思想路线和思想方法问题，解决观察问题、分析问题、解决问题的世界观方法论问题。2013 年 12 月 3 日，十八届中共中央政治局专门以哲学为主题进行了一次集体学习，习近平在讲话中特别强调学习历史唯物主义基本原理和方法论的极端重要性，要求各级领导干部特别是高级干部要努力把马克思主义哲学作为自己的看家本领。

无用之用，斯为大用，这就是哲学的品格；无为而无不为，这正是学习哲学的收获。

哲学事实上与我们每一个人都保持着"亲密的接触"，时时刻刻、方方面面，没有须臾的分离，尽管人们可能还不知道或者说从来没有意识到。

那么，就让我们走向哲学、走进哲学，开始哲学之旅的探寻吧。

二、哲学是什么

哲学是一门学问？哲学是一项技能？哲学是一种境界？当我们走向哲学的时候，首先就要面对关于哲学的这一系列提问。对这些问题的回答是哲学的开始。

哲学的对象

不同的人会对哲学有不同的看法，故有人戏言有多少个哲学家就会有多少个关于哲学的定义。这话看起来已经说到头了，其实并不尽然。因为同一个哲学家在不同时期、不同情境下对哲学的看法并不必然一致，甚至往往大相径庭。所以如果换青年朋友来说这句话，可能就成了：有 N 个哲学家就会有 N+1 个关于哲学的定义，甚至 N 的平方个哲学定义。

这些不同尽管彰显了哲学的复杂性、多变性和不确定性，却不能成为不给哲学下定义的借口。既然大家都在谈论哲学，在谈论的过程中可以相互交流、相互理解，这就说明大家还是存在共同的认知基础的，也就是说，可以给哲学下定义。

给哲学下定义之前，可以先谈谈世界观。世界观人人都有，人人都受某种世界观的指导。世界观就是人对世界以及人与世界关系的总的看法。问题不在于你有没有一个世界观，而在于有一个什么样的世界观。也就是说，世界观人人都有，没有你有我没有的不同，只有自觉或不自觉地受某种世界观的支配之分。有人压根就没有听说过"世界观"三个字，也没有意识到自己是受某种世界观的支配。也就是说，有人是不自觉地接受某种世界观的指导，有人是自觉地接受某种世界观的指导。比如，国际主义战士白求恩（Bethune，1890—1939 年）就能自觉接受共产主义世界观的指导。

人们的世界观可以分为素朴自发的世界观、神学世界观和哲学世界观。人们最早的世界观是素朴的、自发的，是不自觉的、不系统的，缺乏理论性、科学性、一贯性和系统性。远古人类就已经产生了神学世界观，这反映了人们对人之外的自然力量的恐惧、崇拜与迷信。

　　哲学世界观就是自觉的世界观。有人说，按此定义，人人都有世界观，难道人人都是哲学家？这当然不是。虽然从哲学的立场来说，最好的回答是："不能肯定人人都是哲学家的事实，也不能否定人人都是哲学家的可能"；但在可能还没成为现实之前，毕竟还不是现实。所以需要对"哲学世界观"这一定义再加一个定语，即"理论化"。

　　哲学就是理论化、系统化的世界观，哲学靠理论论证和逻辑分析系统地回答关于世界最一般的问题。

　　像著名哲学家冯友兰（1895—1990 年）所讲的，哲学是"对人生的有系统的反思"，强调的正是哲学的理论性。系统的反思当然就是理论化的过程。哲学是自觉的世界观这话一点不错。

哲学的功能

　　哲学到底有没有用？对哲学提出这样的问题是很自然的。如果一个东西一点用也没有，它就不值得去关注，甚至都没有存在的必要。

　　对哲学提出这样的问题也是事出有因。因为在实际生活中，很多人都有一种哲学无用的感觉。比如，哲学不能让粮食从地里长出来，哲学也盖不出房子让人们住。就好比大学生就业，学工科的可以去搞工业，学医学的可以去当医生，而学哲学的似乎连工作都不太好找，因为许多人不知道你的岗位在哪里，不知道哲学能干什么。

其实，哲学从产生开始就面临着这样的质疑。泰勒斯为了改变人们关于哲学无用的观念，他做了这样一件事情以说明哲学的作用。在大家都认为橄榄产量一年不如一年的时候，泰勒斯花低价把橄榄榨油器全部买断。到第二年的时候，橄榄出乎意料地大丰收，家家户户都需要榨油，都要用榨油器，结果泰勒斯赚了一大笔钱。泰勒斯以此告诉希腊人，如果愿意的话，哲学家可以赚很多的钱，只不过他有更高的追求罢了。应该说泰勒斯这一手确实把人们镇住了，让人们不再敢小瞧哲学的功效。但现在回过头来看，泰勒斯是通过掌握天文学知识，预计出来年的气候适合橄榄生长，橄榄会大丰收，所以才成功了。他用的其实是天文学，当然，也有哲学智慧，而且当时天文学并没有从哲学中分离出来，所以把他当成哲学的成功也不为过。

古希腊是人类哲学思维的发源地之一，古希腊语"哲学"，即"爱智慧"的意思。相传古希腊科学家毕达哥拉斯（Pythagoras，前572—前497年）曾说过，他不是一个智者，而只是一个爱智慧的人。"哲学"一词就是从"爱智慧"演变来的。古希腊人把聪明的智者称为哲人，也是指具有高度智慧的人。因此，不论是中国还是西方，都把哲学看成是具有高度智慧的学问。说哲学是体现高度智慧的学问不能算错，但亦没有回答哲学到底有什么用。

事实上，今天再回答这样的问题，完全没有必要借用别的学科的力量，借用了人家也不会服气。需要用哲学本来的力量证明哲学的功效。这就是哲学的"无用之用，万用之基"。哲学看起来好像没有什么具体的功效，但哲学作为世界观的理论体系，不同的哲学认知、不同的哲学修养，会产生对世界不同的认知与理解。当人们对世界的看法改变了的时候，人们在世界上的作为也就会相应发生改变；当人们的作为改变了，世界也就可能被改变了。哲学作为理论化的世界观、方法论，具有影响、支配、指导人们言行，进而改造客观世界，并在改造客观世界的同时改造主观世界的巨大功能。

从一个小故事里就可以看出这种"改变"的力量有多大。

清朝宰相张廷玉（1672—1755 年）的父亲与一位姓叶的侍郎都是安徽桐城人。两家比邻而居，都要起房造屋，为争地皮，发生了争执。张老夫人便修书北京，要张宰相出面干预。没想到，这位宰相看罢来信，反而做诗劝导老夫人："千里捎书只为墙，再让三尺又何妨？万里长城今犹在，不见当年秦始皇。"张老夫人见书明理，立即主动把墙往后退了三尺。叶家见此情景，深感惭愧，也马上把墙让后三尺。这样，张叶两家的院墙之间，就形成了六尺宽的巷道，成了有名的六尺巷。

对一个小家地盘的认识改变，出现了本来不会有的"六尺巷"；对国家关系认识的改变呢？在 20 世纪 70 年代形成的中、美、苏新的战略格局中，显然就有我们一开始讲的中美建交背后的哲学力量的作用。

哲学不仅可以影响政治，哲学还可以引领科学。在 20 世纪中期，科学界有人一度认为原子就是最基本的粒子，不再可分了。但毛泽东在 1955 年就讲从哲学的观点来说，基本粒子也是可分的，随后的科学发现了比原子更小的"夸克"粒子。1977 年，在美国夏威夷召开的世界第七届粒子物理学讨论会上，美国著名微粒子物理学家、诺贝尔物理奖获得者格拉肖（Glashow，1932 年— ）提议将这种微粒子以毛泽东的名字命名为"毛粒子"。这既是科学家对毛泽东的敬意，更是科学向哲学的致敬。

其实，关于哲学有用无用，亚里士多德（Aristotle，前384—前322 年）为泰勒斯辩护的那句话讲得已经很到位了：学哲学的人可能会掉进坑内，但不学哲学的人本来就在坑内，从来没有出来过、也从来不知道还要出来。哲学大有用处。哲学的用处，即哲学的功能，表现为世界观功能、方法论功能、认识论功能、人生观功能、价值观功能、道德观功能，而这些功能恰恰通过指导人们改造客观世界和主观世界的社会实践而发生作用。

用马克思的话讲，哲学的功能就体现在人的实践中。哲学通过指导人的实践，回答了自己有用没用的问题。

哲学指导实践的功能在马克思主义哲学中表现得尤为突出。马克思指出："任何真正的哲学都是自己时代的精神上的精华，因此，必然会出现这样的时代：那时哲学不仅在内部通过自己的内容，而且在外部通过自己的表现，同自己时代的现实世界接触并相互作用。那时，哲学不再是同其他各特定体系相对的特定体系，而变成面对世界的一般哲学，变成当代世界的哲学。各种外部表现证明，哲学正获得这样的意义，哲学正变成文化的活的灵魂，哲学正在世界化，而世界正在哲学化，——这样的外部表现在一切时代里曾经是相同的。"[2] 这讲的就是哲学指导实践的作用，而哲学通过理论化的世界观参与实践、作用实践，认识世界、改造世界。

哲学的性质

猛一听，哲学作为世界观从内容来说似乎很宏大，包容天地，涵盖古今。其实正因为是世界观，从认识主体来说，哲学又很具体、很个人化。每一个人都有自己的世界观，就他个人来说，他认为他的世界观是天经地义的，是好的。一个人肯定不会去秉持一个自己认为不好的世界观。所谓"好"的世界观与"不好"的世界观，应当有客观的评价标准。

中国古代大哲学家庄子（约前369—前286年）在《齐物论》中就讲过，人人见了西施都说美丽，人人皆欲得而亲之，但鱼看到却沉到了水下，鸟看见了高高飞走，鹿见了远远地跑开。用"沉鱼落雁"形容美人其实是人的一厢情愿，鸟兽鱼虫是不当回事的。

按照这样的讲法，哲学果真就没有好坏了吗？也不是。哲学是人的哲学，人是社会关系的总和。个体有个体真实不可否认的独立标准，可是人毕竟不是一个个孤立的原子，不是一堆散乱无章的土豆，而是社会之人。融入社会就不能没有共同的客观标准，就必须在共同的客观标准下接受好与坏的评判。社会共同的客观标准是什么？要以能否正确地认识外部世界规律、能否推进社会发展进步的不断向前，能否促进人自由全面发展的不断拓展为基本要求。符合这些要求的哲学就是正确的、科学的哲学，不符合、有差距甚至背道而驰的哲学当然就是不正确、不科学的哲学了。

马克思主义的现代唯物主义就是正确的、科学的哲学。

哲学的生命

哲学的生命力源于现实。哲学总是程度不等、形式不同地反映和揭示时代的各种矛盾，关注和回答时代提出的各种现实问题，并随着时代的进步而不断变革自身的形态。哲学以一种批判的、革命的态度与时代的现实生活保持紧密联系，并在回答时代的重大现实问题中获得自己发展的动力。

现实课题是哲学的生长点，不断地创造性地回答时代课题是哲学发展的动力。推进哲学创新发展，必须着眼于时代的变化，把握改革创新的时代精神，并自觉地以哲学的方式回答时代的重大现实课题。

哲学所面对的"现实"并不是个别的、枝节性的事实，而是人类生活的"时代"或者说构成人类生活意义的"时代精神"。哲学是以总体的方式对自己时代的把握，总体性、批判性、反思性、超越性和抽象性是哲学思维的特色。哲学正是通过对自己时代精神的把握来塑造和引领自己的时代。当代世界和中国的现实实践提出的重大问题，给哲学提供了难得的机遇，哲学必须跟上时代的发展，以真正哲学的方式来回答这些时代课题。

艾思奇在《如何研究哲学》中指出："为什么要研究哲学呢？这问题现在解决了：因为从哲学的研究中，我们要找到正确的世界观，这世界观可以作为我们认识现实的根本方法。我们借此可以得到正确的认识，变革自己的意识，更进而建立起健全的、合理的生活实践。"正是基于这样的立场，艾思奇写出了被毛泽东称为"通俗而又有价值"、"我读了得益很多"，并且作了长篇摘录的《大众哲学》。

艾思奇之所以能在哲学发展上取得这样大的成就，就在于他始终将哲学研究与时代的重大现实有机结合起来。艾思奇说："第一不离开现实的问题，第二要有前进民众的立场，是辨别正确哲学的标准。"由于艾思奇有着坚定的哲学信仰，又具有自觉的"前进人们"即广大劳苦大众的阶级立场，任何迷雾都遮盖不了他哲学斗争的方向，任何现实问题都可以纳入到时代的"迫切问题"中加以把握。一部《大众哲学》，全部是回答各方人士提出的问题，问题之广几乎涉及哲学中的一切重要方面。艾思奇不仅通过透彻的理论分析对问题作出了解答，并借以阐述了辩证唯物论的基本观点，而且，几乎对所有问题的解答都同时代的重大现实课题结合起来，赋予所解答的问题以鲜明的时代感和现实感。这就是艾思奇独到的理论"功力"。他凭借这种"功力"，为实现哲学的时代化作出了重要的贡献。

哲学所要面对、回答的最根本的课题是该时代具有普遍性的重大现实，哲学必须善于捕捉住重大现实，善于观察分析重大现实，在回答重大现实的探索进程中推进哲学的创新发展。然而哲学又是从世界观、方法论，从普遍规律的高度回答现实，需要高度的哲学思维，需要运用概念、范畴进行抽象思维、综合概括，实事求是地看待现实，辩证地看待现实，客观全面地看待现实。

那么，目前，哲学要挖掘哪些重大课题加以回答并作出科学的抽象呢？当前，我国最大的现实就是中国特色社会主义的伟大实践，哲学的发展首先要面对这个现实，直接解答这一现实问题。只有直接从世界观和方法论的高度回答现实，从现实生活中提炼出带有共性的范畴，加以分析、综合、抽象、概括，进一步创新哲学的范畴体系，才能真正发展马克思主义哲学。社会利益、社会价值、社会动力、社会矛盾、社会制度、社会体制、社会公正、社会改革、社会心理、社会形态、社会意识、社会发展、社会进步、社会和谐等等，这些概念、范畴都是现实生活中带有共性的东西，需要给予哲学的概括和提升。

在现实生活中，很多社会热点、难点、焦点问题，其背后总存在一定的哲学课题，从哲学角度来探索这些课题，会引发出深层次的哲学思索。哲学工作者应当关注这些课题，并加以研究。譬如，社会主义市场经济是一个经济学课题，但同时又是一个哲学课题。哲学工作者应当掌握更多的市场经济知识和材料，运用马克思主义哲学的立场、观点和方法，来认识社会主义市场经济。再譬如，当代科学技术的发展已经提出了许多重大哲学问题，如21世纪人类面临的共同挑战是生存环境的恶化，人与环境的关系则成为世界哲学探索的中心议题。面对现代科学技术发展的现实和人类生存环境问题，密切注意现代科学技术发展的新动向，注意现代科技发展所引起的社会问题和环境问题，从中得出一定的哲学结论。还譬如，面对世界当代优秀文化成果，以及中华民族传统文化的优秀成果，研究新思潮，研究新学科，挖掘发展哲学的素材。哲学与许多学科的结合，可以进一步扩充哲学的外延，丰富哲学的内涵。

总而言之，哲学一定要关注现实、研究现实、概括现实、改造现实，哲学无限的生命源于无尽的现实。

三、哲学的前世今生

对哲学的追问告一段落之后，我们将开始对哲学做一快速扫描。哲学从诞生到现在已经有几千年的时间了。在这不算短的时间内，哲学是如何发展演进的？哲学提出并关注了哪些问题？哲学是用什么方法来解决这些问题的？了解清楚这些问题，就可以使人们对哲学的面貌有一个大体的把握。

哲学的历程

世界哲学的历程可以说是异彩纷呈、群星璀璨。东西方哲学各有千秋，各领风骚，马克思主义哲学更是集人类哲学之精华而大放光彩。

列宁指出，哲学史"简单地说，就是整个认识的历史"。[3] 全部哲学史就是人类对客观世界认识的历史。哲学的发展实质上就是人类认识成果发展的持续的哲学概括。在人类哲学认识中，始终贯穿唯物主义与唯心主义的争论，同时交织着辩证法与形而上学的争论。当然，唯物主义与唯心主义、辩证法与形而上学之争在不同的历史阶段经历了不同的具体形式，体现着人类对外部世界的认识由低级到高级的曲折历程。

年轻的马克思、恩格斯在《共产党宣言》中就指出："思想的历史除了证明精神生产随着物质生产的改造而改造，还证明了什么呢？"[4] 哲学属于社会意识形态，是由社会存在决定的。恩格斯认为："任何新的学说"，尽管"必须首先从已有的思想材料出发"，但是，"它的根子深深扎在物质的经济的事实中"。[5] 后一代哲学思想必将与前一代哲学思想有继承渊源关系，与整个人类思想成果有继承渊源关系，但这种继承渊源关系归根结底是由各个时代的生产关系，即经济基础、社会存在所决定的。

人类哲学认识的不同和争论，主要是由社会发展水平、经济政治制度、阶级和阶级斗争、科学发展状况和人类积累的思想成果所决定和制约的。

哲学上唯物主义与唯心主义、辩证法与形而上学的争论，作为社会存在的反映，作为为一定经济基础服务、为一定政治服务的上层建筑的意识形态，始终反映并适应该时代的政治需要和社会变革需要。在阶级社会，哲学反映并适应一定的阶级和阶级斗争需要。哲学既为社会存在所决定，又为社会存在所服务。

可以从东西两个走向来看世界哲学的发展历程。

西方哲学史从公元前 6 世纪的古希腊哲学起，到现当代西方哲学，可以分为四个时期：公元前 6 世纪到公元 5 世纪西罗马帝国灭亡，约一千年，称为古希腊哲学；公元 5 世纪到 15 世纪东罗马帝国灭亡，约一千年，称为中世纪哲学；15 世纪中叶到 19 世纪中叶，约四百年，称为近代哲学；19 世纪中叶以来，称为现当代哲学。

——古希腊哲学开创了西方哲学素朴唯物主义和素朴辩证法的先河，与此同行的唯心主义思想也体现了古希腊人的哲学探求。

恩格斯指出："在希腊哲学的多种多样的形式中，几乎可以发现以后的所有看法的胚胎、萌芽。"[6] 古希腊哲学是从宗教信仰和神话的束缚下与科学同时诞生的。它从一开始便与科学结成了不可分离的亲缘关系，在古希腊，许多哲学家同时也是科学家。当时，人们只是从总的方面观察自然界，而没有对自然界进行解剖和分析，作出精确科学的研究，这种状况反映在哲学上就使古希腊哲学具有素朴唯物论和素朴辩证法的性质。

古希腊哲学一开始就努力探究世界的本原是物质的还是精神的，有唯物主义和唯心主义两种不同的回答，也有试图走中间路线的回答。

最早的唯物主义（前8世纪—前6世纪）是活动于米利都城的米利都学派和居住于爱非斯城的赫拉克利特学派。米利都学派有三个代表人物。第一个代表人物是泰勒斯，主张"水为万物的根源"，任何东西都有产生与消亡，唯独水是常存在的。第二个代表人物是阿那克西曼德（Anaximander，约前610—前546年），认为世界万物的始基是物质性的"无限者"（或译"不固定者"），"无限者"内部蕴含着对立面，从而形成千变万化的世界。第三个代表人物是阿那克西米尼（Anaximenes，约前570—前526年），认为气为万物始基，由于气的不断变化，引起世界的变化。赫拉克利特（Heraclitus，约前530—前470年）是赫拉克利特学派的代表人物，他认为火是世界万事万物的本原，世界是"一团永恒的活火"，用某种物质性的东西解释世界的统一性。

稍后的唯物主义（前5世纪）是德谟克利特（Democritus，前460—前370年）的原子论唯物论，它已经不满足于把某种直接可以感觉到的物体，如水、火等看作世界的基础，而认为一切事物的最初根源都是原子和虚空。运动是原子本身的属性，一切事物的产生都是有根据的、必然的。后来希腊化时期（前4世纪）的伊壁鸠鲁（Epicurus，前341—前270年）继承和发展了德谟克利特的原子论唯物论。古罗马时期（前2世纪）的卢克莱修（Lucretius，Carus，约前99—前55年）又进一步继承和发展了伊壁鸠鲁的原子论唯物论。

古希腊以及古罗马哲学的唯物主义力图用唯物论、辩证法解释世界，看到世界是永恒运动变化的，试图从世界多样性中找到统一性。然而他们的唯物论、辩证法是自发的、素朴的、猜测的，缺乏科学根据。

古希腊最早的唯心主义（前6世纪）有毕达哥拉斯学派

和爱利亚学派。前者因创始人毕达哥拉斯而得名，后者因活动于爱利亚城而得名。毕达哥拉斯学派断言，世界万物的本原不是物质，而是"数"；世界一切都是由数产生的，数是一切事物的决定者，是事物的根源。毕达哥拉斯学派相信灵魂不死。爱利亚学派否认事物的"多样"与"变化"，企图证明世界上的事物是"统一"与"不变"的。其代表人物巴门尼德（Parmenides，约前 6 世纪末—前 5 世纪）认为感觉是不可靠的，要达到真理，只能靠思维，用空洞无物的"存在"概念反对米利都学派和赫拉克利特学派的唯物主义。

公元前 5 世纪是希腊奴隶主民主制的繁荣时期，也是希腊哲学的繁荣时期。柏拉图（Plato，约前 427—前 347 年）是古希腊唯心论的集大成者，反对唯物论，特别是德谟克利特的原子论唯物论，主张"理念论"，把脱离个别事物、又完全独立于个别事物的"理念"看作是第一性的，是事物的本原，进而创造了客观唯心论体系。柏拉图唯心论路线的奠基人是苏格拉底（Socrates，前 469—前 399 年），他在伦理道德上主张对神的绝对服从，宣扬客观唯心主义。当然，古希腊哲学又花开一枝，苏格拉底开启了哲学对人的研究。

到公元前 4 世纪，古希腊哲学进入系统化时期，亚里士多德的"形而上学"代表了古希腊哲学的当时成就。亚里士多德是古希腊大哲学家，恩格斯把他看作"古代世界的黑格尔"[7]。亚里士多德哲学的特点是动摇与混乱。一方面，他"对于认识的客观性没有怀疑"[8]，从自然界本来是客观存在出发，批判柏拉图的"理念论"。但是他又把具体事物，如人、马、桌子等称为"第一实体"，把关于具体事物的概念称为"第二实体"，认为这两个实体又各自独立，有时第二实体又似乎从属于第一实体，表现了他哲学认识的二重性。亚里士多德认为"心灵的思维"是独立于身体的，是"不死的、永恒的"，把神看作一切活动的目的因，这又回到了柏拉图"灵魂不死"的神秘主义唯心论先验论上了。历史上唯物论哲学家发展了亚里士多德的唯物主义，如个别事物不能离开个别而单独存在；历史上的唯心论则发展了他的唯心主义。

古希腊哲学虽然从主要方面摆脱了宗教信仰和神话的束缚，但还渗透着宗教神话的因素，甚至原子论唯物论者伊壁鸠鲁在强调神同自然和人没有任何联系的同时，毕竟还在世界与世界的"空隙"中为神留下了一块地盘。到了西方古代哲学的后期，新毕达哥拉斯派和新柏拉图派等更是带有浓厚宗教色彩的哲学，他们的哲学后来被基督教所利用。

——中世纪时期，是经院哲学，即神学唯心主义的天下。哲学从属于宗教，唯心主义统治着哲学。

哲学成为用抽象理性解释信仰的工具，成为神学的婢女。如果说，在古希腊时期，特别是它的早期，哲学与科学尚未明确区分开来，那么在中世纪，哲学则是与宗教神学合为一体。唯名论与唯实论（或译实在论）之争是中世纪最大的哲学争论，同宗教上关于普遍教会与地方教会、普遍教义与个人信仰、原罪与个人罪恶何者实在、何者从属之争，是相互渗透在一起的。

延续几个世纪的唯名论与唯实论的争论，虽然是在经院哲学内部展开的，但"和唯物主义者同唯心主义者的斗争具有相似之处"[9]。唯名论与唯实论争论的中心内容是一般（共相）是否真实存在？例如，一般的狗，即不问大狗、小狗、公狗、母狗，作为狗的一般（共相）是真实存在还是仅仅只是具其名。唯实论认为，一般（共相）概念是实在的，它先于个别事物而存在。唯实论是彻头彻尾的唯心主义。唯名论则认为，一般（共相）概念仅仅是一个名词，个别事物先于一般（共相）概念而存在。唯名论强调具体事物的实在性，具有唯物主义倾向。唯名论与唯实论的争论，表面上看似抽象的讨论，实质上却体现了哲学基本问题，即思维与存在谁为第一性的争论。马克思、恩格斯把唯名论看作是"唯物主义的最初形式"[10]。唯名论的唯物主义倾向对西方唯物主义发展产生了积极影响。在经院哲学唯名论与实在论的争论过程中，纯粹抽象的逻辑推理得到了极大的提升，"一个针尖上能站几个天使"这样的论证，虽然没有任何实际的价值，但却有系统的逻辑历练，显示了深厚的逻辑功底。

——近代哲学发展的阶段性是与近代科学发展和社会经济政治发展的阶段性相适应的。

17—18 世纪，自然科学进入了对自然界进行分门别类研究和对各种事物进行分析解剖的阶段，它所采用的方法主要是以实验和观察为基础的归纳法和演绎法。同时，资本主义社会的发展，使得唯物主义开始批判并逐渐取代中世纪唯心主义和宗教神学，推动了哲学的进步。与自然科学和社会发展的这种状况相适应，17—18 世纪的哲学便以唯物主义哲学认识的上升和以形而上学思维方式占主导为主要特征。这就产生了 17—18 世纪的形而上学唯物主义，又称为机械唯物主义。英国是近代工业和自然科学的起步点，理所当然成为近代唯物主义发源地，产生了 17 世纪英国近代形而上学的机械唯物主义。这种机械唯物主义同时带有严重的形而上学性，间或带有神学不彻底性。

17—18 世纪，西方哲学一直贯穿着经验论和唯理论之争，经验论与唯理论的争论内含了唯物主义与唯心主义、无神论与宗教的斗争。

经验论适应资本主义发展和资产阶级革命需要，从经验出发，批判宗教神学。经验论分成两派：一派是唯物论经验论，其代表人物是培根（Bacon，1561—1626 年）、霍布斯（Hobbes，1588—1679 年）、洛克（Locke，1632—1704 年）等人。提出"知识就是力量"的培根批判了经院哲学长期统治带来的神学偏见，对实验科学的方法作了唯物主义解释，提出人类全部知识起源于感性世界的基本原则，认为自然界是物质的，物质世界是丰富多彩的，运动是物质的固有属性，物质是生动的、可感的，经验和实验是一切知识的来源。霍布斯是一个彻底的机械唯物主义者，虽然坚持唯物论，但把物质世界看作是机械的集合，认为人的精神活动与物质活动是没有区别的，心脏不过是发条，神经不过是游丝，关节不过是齿轮，甚至欲望、愤怒、爱情、恐惧等感情活动都是纯粹机械原因引起的。洛克从唯物主义出发，论证了认识来源于感觉经验。他认为，天赋观念是不存在的，一切观念都来自于经验，认识开始于经验。但什么是经验，经验是从哪里产生的，却显示出洛克哲学对唯心主义的妥协，陷入了"经验只是所谓内省体验的那种唯心的经验论"[11]。

到了 18 世纪，经验论的另一派，即唯心论经验论，放弃了唯物主义，宣扬主观唯心主义和不可知论，把任何事物都看作声、色、味、触等感觉的集合，宣称"存在就是被感知"，认为"一切都只是知觉，此外还有什么是不可能知道的"。其代表人物是贝克莱（Berkeley，1685—1753 年）和休谟（Hume，1711—1776 年）等人。

唯理论是欧洲近代资产阶级反抗经院哲学和宗教迷信的思想武器，以理性为标志，反对盲从，反对迷信。然而唯理论不承认人的理性认识来自感性认识，认为只有理性认识靠得住，感性认识不可靠。唯理论的代表人物是笛卡尔（Descartes，1596—1650 年）、斯宾诺莎（Spinoza，1632—1677 年）、伽桑迪（Gassendi，1592—1655 年）和莱布尼茨（Leibniz，1646—1716 年）。毛泽东指出："哲学史上有所谓'唯理论'一派，就是只承认理性的实在性，不承认经验的实在性，以为只有理性靠得住，而感觉的经验是靠不住的，这一派的错误在于颠倒了事实。理性的东西所以靠得住，正是由于它来源于感性，否则理性的东西就成了无源之水，无本之木，而只是主观自生的靠不住的东西了。"[12]

唯理论也分为两派，一派是唯心论唯理论，一派是唯物论唯理论。笛卡尔是欧洲第一个唯心论唯理论哲学家，唯心论唯理论者还有莱布尼茨等人。笛卡尔有一句主观唯心主义的格言"我思故我在"，就是说，我在怀疑、我在思想，所以我存在，从思维引出存在。笛卡尔对经院哲学、对宗教持一定批判态度，这是他进步的方面。但他最终还是借"无限完满的上帝"观念，借助上帝，肯定客观世界的存在。笛卡尔是唯物与唯心二元论者。他从思维的"自我"开始，肯定精神实体的存在，再求助于上帝来"保证"物质世界的存在。当他肯定物质世界的存在，物质就是唯一实体了，没有上帝存在了。德国的莱布尼茨继承了笛卡尔的唯心论唯理论。

　　唯物论唯理论一派，如荷兰的斯宾诺莎，从唯物主义立场出发，力图克服笛卡尔哲学的物质与精神同为本体存在的二元论。他反对笛卡尔的唯心论唯理论，反对宗教神学，恢复伊壁鸠鲁的原子唯物主义，主张一切观念都是通过感觉印上去的，是由存在于理智以外的事物落于我们的某一个感官之上而生起的。当然，他的唯物主义也是不彻底的。

　　18世纪欧洲资产阶级革命和自然科学发展需要更为彻底的、战斗的唯物主义哲学，18世纪的法国哲学则是公开的唯物主义与无神论。18世纪上半叶法国资产阶级启蒙思想家伏尔泰（Voltaire，1694—1778年）、孟德斯鸠（Montesquieu，1689—1755年）、卢梭（Rousseau，1712—1778年）为法国哲学成熟的唯物论和彻底的无神论做了准备。18世纪中叶百科全书派中的唯物主义哲学家把法国唯物主义推向成熟，其代表人物有狄德罗（Diderot，1713—1784年）、达朗贝尔（D'Alembert，1717—1783年）、爱尔维修（Helvétius，1715—1771 年）、霍尔巴赫（Holbaeh，1723—1789 年）。百科全书派与 18 世纪法国唯物主义还不完全是一回事。百科全书派的撰稿人一致反对封建专制和宗教神学，如狄德罗至死拒绝承认有上帝，他们多数是唯物主义哲学家，但也有不是的，伏尔泰、孟德斯鸠、卢梭就是资产阶级启蒙思想家。而拉美特利（La Mettrie，1709—1751年）虽然不属于百科全书派，但他是坚持唯物论的，他公然宣布唯物主义是唯一的真理。法国 18 世纪唯物主义哲学不是宣扬纯粹理性的哲学，而是同政治伦理思想紧密结合在一起的，这也是它的特点之一。18 世纪法国唯物主义是当时西方哲学的最高成就，但仍然没有摆脱形而上学思维方式的束缚。

18 世纪末法国资产阶级大革命的历史辩证法和 18 世纪末到 19 世纪上半叶自然科学在各方面的成就，促使西方近代哲学发展到了最高阶段。前一世纪中盛行的分门别类的、机械的形而上学方法被代之以联系的、发展的、进化的观点。18 世纪末 19 世纪初自然科学的新发现和新成就，以及资本主义社会化大生产和社会结构的新发展，都表明自然和社会的一切现象是辩证地发生的，过去那种机械的、形而上学的观点动摇了，自然科学和社会科学的这些成就反映在哲学上便是从康德（Kant，1724—1804 年）到黑格尔（Hegel，

1770—1831 年）的德国古典唯心主义哲学的辩证法形态。从古希腊的素朴辩证法阶段，经过 17—18 世纪唯物主义的形而上学思维方式的阶段，到德国古典唯心主义辩证法阶段，这一哲学上的否定之否定的过程，是和整个西方自然科学和社会发展的过程相一致的。这个时期的德国古典哲学家们在不同程度上，以不同方式总结了前人的思想，特别是唯理论与经验论之争，创立了以康德、费希特（Fichte，1762—1814 年）、谢林（Schelling，1775—1854 年）、黑格尔为代表的德国古典哲学。康德的"星云假说"打开了形而上学思维方式的第一个缺口，用"感性""知性""理性"建构了全新的认识论体系。黑格尔系统地阐述了辩证法的一般运动形式，创立了西方哲学史上最庞大的客观唯心主义辩证法体系。德国古典哲学的最后一个代表费尔巴哈（Feuerbach，1804—1872 年）则把唯物主义推向他那个时代的最高峰。然而费尔巴哈的人本主义唯物主义却把黑格尔唯心主义辩证法的合理内核抛到了一边。

——从 19 世纪中叶起，西方哲学进入了现当代哲学的发展时期。

19 世纪中叶，欧洲资本主义进一步发展，大工业生产更加促进了自然科学和物质文明的巨大发展。面对社会上新的矛盾和自然科学上新的发现，人们迫切需要新的理论解释和新的哲学概括。与此同时，无产阶级与资产阶级的对立与斗争全面展开，无产阶级开始作为独立的政治力量登上政治舞台。为了完成推翻资产阶级统治，最终完成解放全人类的历史任务，无产阶级需要新的哲学世界观来指导认识世界和改造世界。马克思主义哲学应运而生。

马克思主义哲学不仅是生产、科学发展和社会进步的结果，也是社会阶级斗争的结果。马克思主义哲学是西方哲学也是整个人类哲学在 19 世纪中叶的重大创新与革命。到了 19 世纪 40 年代，德国古典哲学已失去光辉，黑格尔学派已经解体。马克思和恩格斯在以往哲学成果的基础上创立了马克思主义哲学。

在马克思主义哲学形成和发展的同时，西方资本主义也逐渐产生了与马克思主义哲学分道扬镳的其他各种哲学派别（我们把这些流派姑且称为"现当代西方哲学"）。随着资产阶级经济和政治统治的确立，资产阶级越来越走向反动，西方哲学日益趋近唯心主义，它们或者发展了黑格尔哲学唯心主义方面，或者批评甚至反对黑格尔哲学辩证法方面。当然他们的哲学认识也有许多有价值的观点，反映了对现当代社会状况、科学技术发展的有益的哲学探索。19 世纪 40 年代到 19 世纪末出现了唯意志论、生命哲学、实证主义、马赫

主义、新康德主义、新黑格尔主义等。19世纪末到第二次
世界大战，西方流行的主要哲学流派有新实在论、实用主
义、人格主义、逻辑原子论、逻辑实证主义、现象学和存在
主义。第二次世界大战以后，英美国家流行的主要是分析哲
学的各支派，如逻辑实证主义、逻辑实用主义、历史社会学
派、日常语言哲学以及科学哲学等。在欧洲大陆国家主要有
现象学、存在主义、新托马斯主义、解释学、结构主义、后
现代主义等等。西方哲学更加多元化，更富多样性。西方哲
学既是西方高新科技发展和社会发展的理论概括，同时又是
资产阶级意识形态的哲学反映。唯心主义是西方哲学思潮的
主流，当然也不乏对人类哲学认识有相当价值的哲学成果。

东方哲学与西方哲学一样，始终贯穿唯心主义与唯物主
义、形而上学与辩证法的不同流派的发展。

东方哲学以中国和印度为主要代表。

——中国传统哲学与西方传统哲学以逻辑、概念的方
式探讨"终极本原"不同，在关注世界本原、世界存在方式
问题的同时，更为关注的是人生方式的可能、人生价值的善
恶和伦理道德。

在与古希腊时期大体相当的中国春秋时期，儒家、道
家、法家、墨家等等百家争鸣，开启了中国哲学鼎盛时期。

值得说明的是，这时的中国哲学既是开端也是巅峰，为后来的中国哲学发展设立了基本的理论范式与标杆。像秦汉经学、魏晋玄学、隋唐佛学、宋明理学、明清实学等，中国哲学的演进大致体现如此。与唯心主义学派相对应，中国哲学进程也形成了相当实力的唯物主义学派。中国哲学宝藏中的辩证法思想极为丰富。

在中国商周时期，已经产生了朴素唯物主义哲学思想。《周易》从自然界与人类社会复杂多样的事物、现象、属性中概括出阴与阳两种事物、现象和属性，以此作为天地万物的本原。"阳"是指称那些积极、进取、刚健、阳性的事物、现象和属性，"阴"则代表那些消极、退守、柔弱、阴性的事物、现象和属性。阴阳两种势力相摩相荡、交互作用，生成了天、地、雷、火、风、泽、水、山，并进而生成了万事万物。《尚书·洪范》认为构成物质世界的是五种基本元素——"五行"："一曰水，二曰火，三曰木，四曰金，五曰土。水曰润下，火曰炎上，木曰曲直，金曰从革，土爰稼穑。润下作咸，炎上作苦，曲直作酸，从革作辛，稼穑作甘。"《洪范》用"五行"这些当时人们在生产和生活中常见的具体物质形态作为世界万物的本原。在自然物质本身中寻求事物的根源，当作自然现象无限多样统一的基础，概括世界上复杂的事物，揭示自然万物的生成变化，表现了一种朴素、直观的唯物主义思想。朴素唯物主义是在与信奉上帝创世说和天命论的唯心主义的斗争中形成的。

春秋战国时代，正是中国封建制度代替奴隶制度的社会大变革时期，封建地主阶级与奴隶主阶级之间的斗争反映在哲学思想上，表现为唯物主义和唯心主义两条主线的斗争。孔孟为代表的儒家唯心主义，主张畏"天命"，维护唯心主义天命论，在认识论方面主张"生而知之"的唯心论先验论。以老庄为代表的另一派唯心主义宣扬宿命论，主张人在自然面前无所作为，从另一角度宣扬唯心论先验论。荀子（约前313—前238年）和他的学生韩非（约前280—前233年）代表了唯物主义，反对把"天"说成是主宰一切的有意志的上帝的唯心主义，把天解释为物质的天，即自然界。认为"气"才是构成万物和人的最根本的物质。否认人们必须服从"天命"，提出"制天命而用之"的"戡天"思想，主张发挥人的能动性。在认识论上，反对唯心论先验论，主张唯物论的反映论，提出知识和才能是后天学习得来的。墨子（前468—前376年）承认外部物质世界的实在性，主张唯物论的经验论，他强调"耳目之实"的感性认识，把对外部事物的直接感觉看作认识的来源和根据，但他过分夸大了感性认识的作用。

封建社会制度代替了奴隶社会制度。为适应封建地主阶级统治的巩固，西汉武帝"罢黜百家，表彰《六经》"。董仲舒（前179—前104年）还把谶纬迷信神学与哲学结合起来，建立了目的论的唯心主义哲学体系。他歪曲了唯物主义"五行说"的性质，把阴阳五行说成是天的恩德刑罚的表现，与封建社会的三纲五常伦理关系联系起来，认为五行的运转是有道德的，整个自然万物都是为了体现上帝的意志。东汉唯物主义哲学家王充（27—约97年）针锋相对地反对董仲舒的目的论唯心主义，提出元气自然论理论。他认为，世界万物的发生、消灭都是由于元气的自然运动聚散的结果，并不是天有意识有目的地创造出来的。天没有意志、没有目的，事物产生都出于自然。他一方面继承了朴素唯心主义传统，另一方面又发展了朴素唯物主义，坚持无神论，把中国古代哲学唯物主义推向一个新的高度。

魏晋玄学主张"贵天论"，以抽象的"本体"代替了神学的"上帝"和目的论的"天人感应"，使中国古代唯心主义哲学更狡猾、更隐蔽、更思辨、更精巧、更具欺骗性。他们认为，具体事物虽说存在，但是在具体事物之后、之上，还有一个更为根本的本体存在，这个本体虽然看不见，但它却是一切看得见的东西赖以存在的基础，万事万物都不外是这个精神性本体的体现。魏晋玄学的代表人物王弼（226—249年）把这个精神本体称之为"无"或"本"。"无""本"（本体）是第一性的，而一切具体事物和现实世界是"无""本"
（本体）的派生物，是第二性的。著名的唯物主义哲学家范
缜（450—515 年）提出"神灭论"，对"神不灭论"和佛教
因果报应说做了有力驳斥，对形神关系做了唯物主义分析。
范缜的唯物主义思想和无神论思想是这一时期唯物主义的代
表思想。

宋明理学则把孔孟哲学和魏晋玄学以来的唯心主义发展
到中国古代唯心主义哲学的顶峰。他们把"道"、"理"、"太
极"等作为世界万物的本体，并与整个封建伦常道德密切联
系起来，由它来囊括整个自然和社会，为封建社会的"四
条绳索"（政权、族权、神权、夫权）提供了哲学依据。宋
明理学分为两大派，一派是程颐（1033—1107 年）、程颢
（1032—1085 年）、朱熹（1130—1200 年）的客观唯心主义
理学，另一派是陆九渊（1139—1193 年）、王阳明（1472—
1529 年）的主观唯心主义心学。

王安石（1021—1086 年）、张载（1020—1078 年）、
陈亮（1143—1194 年）、叶适（1150—1223 年）、王夫之
（1619—1692 年）、颜元（1635—1704 年）、戴震（1724—
1777 年）等在与宋明理学的唯心主义哲学斗争的过程中，
把中国古代唯物主义哲学向前推进了一大步。他们强调，物
质的"气""器"是第一性的，是本原，而"道""理"只是

第二性的，是派生的，坚决反对和驳斥了超越事物之上的"道""理"为本体的唯心主义本体论。他们针对唯心主义本体论提出的体用、心性等问题，做了针锋相对的解答，从而把自然观、认识论、方法论等哲学各个方面贯通起来，构成了中国古代比较完整的唯物主义哲学体系。中国古代唯物主义虽然在自然观方面坚持了唯物论，但他们在社会历史领域仍然是唯心主义。

到了近代，由于中国的国情和中国资产阶级具有严重的两面性，致使资本主义没有条件发展起来，中国近代资产阶级思想家倾向于机械唯物主义、庸俗进化论，唯物主义不彻底，而且缺少革命辩证法。

辩证法和唯物主义本来应该是一家，但在中国古代哲学史中却长期分裂。往往辩证法与唯心主义结合在一起，一些唯心主义哲学家却有着丰富的辩证法思想，而其辩证法思想又为唯心主义所闷死。有些唯物主义兼有辩证法的思想，而有些坚决的唯物主义又往往陷入形而上学的泥坑。

中国的《易经》、《洪范》就包含朴素的辩证法思想，认为阴、阳两种势力是推动世界万事万物变化发展的推动力。春秋战国诸子百家的思想包含了大量的辩证法思想。孔孟的儒家、老庄的道家，还有墨家、兵家、辩家、阴阳家都有朴素的辩证法思想。《道德经》、《孙子兵法》是辩证法的上乘之作。汉初的《黄帝内经》、唐朝李筌的兵书，都有朴素的辩证法思想。中国古代佛教思想也包含有大量的辩证法思想。宋明理学也内含着一定的辩证法的思想。从王安石、张载到王夫之等则在唯物主义立场上把中国古代素朴辩证法思想提高到中国哲学史上一个新的水平。当然在中国封建社会的辩证法思想的发展进程中，也长期存在与辩证法思想对立的"天不变，道亦不变"的儒家形而上学观。

——印度哲学则主要体现在其佛教中，尤其是大乘佛教所蕴含的哲学的精致与深邃，像法相唯识学、《华严金狮子章》的圆融无碍观等等，其论证之严谨、思维之缜密、探究之深入，让人叹为观止。

东方哲学学说的表现形式各不相同、千奇百怪，但始终贯穿唯物主义与唯心主义、辩证法与形而上学之争，而且这种争论往往是交织在一起的，你中有我，我中有你。

尽管马克思主义哲学是目前人类哲学发展的制高点，集中体现了工人阶级世界观的最高成就。但人类社会在发展，哲学在发展，马克思主义哲学仍然需要、当然也在发展。列宁哲学思想继承、发展和创新了马克思主义哲学创始人的哲学认识，中国共产党人所推进的马克思主义哲学中国化，既是西方哲学，又是东方哲学在当代的新发展。

哲学的历程深刻地说明：顶峰不是终点，发展没有止境。

哲学的问题

研究自然科学的人都知道，自然科学的问题只要获得了解决就不需要再去关注。自然科学是不断提出新问题，不断研究新问题。像物理学，牛顿力学解决了的问题，量子力学就没有必要去碰了，因为那一页已经翻过去了；像医学上，曾经害人无数的天花被征服以后，就可以一劳永逸了，后来再出现天花只要接种牛痘就可以了……

但哲学面对的问题好像与它们都不尽相同。近三千年来，世界哲学的发展虽然白云苍狗，潮起潮落，但哲学的一些基本问题却常存常新。**哲学基本问题就是思维和存在的关系问题，也可表述为物质和意识的关系问题。**这一问题贯穿了哲学发展的始终，哲学的主要问题都是围绕着它而展开的。

"哲学家依照他们如何回答这个问题而分成了两大阵营。凡是断定精神对自然界说来是本原的，从而归根到底承认某种创世说的人（而创世说在哲学家那里，例如在黑格尔那里，往往比在基督教那里还要繁杂和荒唐得多），组成唯心主义阵营。凡是认为自然界是本原的，则属于唯物主义的各

种学派。"[13] 关于思维与存在有无同一性的不同回答导致了
可知论与不可知论；机械地还是辩证地看待二者及二者之间
的关系则是形而上学与辩证法的分水岭。

哲学基本问题为哲学研究提供了一条基本的指导线索，
为划分哲学基本派别确定了科学标准，是反对唯心主义、不
可知论、形而上学的锐利武器；是指导我们认识和改造世界
的一个根本原则；是引导我们更新思维方式和价值观念，改
造客观世界的强大工具。

与思维和存在的关系这个基本问题相伴，还有发展观的
问题，即世界是否运动、变化、发展以及如何运动、变化、
发展的问题。不论是唯物主义还是唯心主义，都不能回避这
个问题。因此，在唯物主义和唯心主义斗争的同时，始终存
在着辩证法和形而上学的斗争。辩证法和形而上学的斗争也
同唯物主义和唯心主义的斗争交织在一起，贯穿于哲学史的
始终，并从属于唯物主义和唯心主义两大哲学基本派别的
斗争。

此外，哲学还关注其他一些问题。这些问题虽然不像基
本问题、发展观问题那样具有根本性，但也贯穿哲学发展的
始终：

"我是谁""我从哪里来""要往哪里去""我应该过一种
什么样的生活"……人类对自身的不断追问构成了贯穿哲学

的又一大问题。古希腊德尔斐神庙箴言"认识你自己"的提问，古今中外的哲学已经给出了不少深刻、有洞见甚至已经可以称之为真理的答案，但直到现在我们都不能完全释然，也没有终极解答，这充分说明了对人的认识的不可终止与没有穷期。

还有，关于"善"与"恶"之类的道德评价问题。哲学不能回避对人生和对社会的评判，不能回避对人的行为进行引导和规范。什么是"善"、什么是公平正义，以及人们应当怎么做等，这是伦理学面对的问题。当然，哲学还涉及美与丑的美学问题。什么是美，美是一种什么样的感受，美是怎样产生的等等，这是美学面对的问题。由于美学不仅要研究什么是美、还要研究什么是丑，所以在西方哲学中美学还有一个名字叫作"丑学"。而以上这一切关于好与坏、善与恶、美与丑、是否应该之类的问题，可以统称为价值论问题。

面对这么一些熟悉的哲学问题，大家可能已经有一个感觉，即哲学的问题好像就是一些翻来覆去的老问题。确实如此。哲学的进步不在于任何古老问题的消失，而在于提出问题的方式的变化和解答问题的不断深化或升华。古老的问题总是不断地以新面目向人们进行一如既往的提问，有的新问题看似崭新，不过是古老问题穿了一件时装罢了。而有的新问题则是哲学面对人类社会发展的新实践而提出来的，它往往也与那些老问题存在千丝万缕的联系。这也就是为什么哲学问题一以贯之但又常问常新、常新常问的奥妙所在了。

四、哲学的左邻右舍

　　哲学家冯友兰做过一个比喻。画一个月亮，有两种方法。一个是直接画一个圈，告诉大家这就是月亮；再一个办法是画一大堆云彩，中间留一个空白，这也就是月亮了。第二个办法我们称之为"烘云托月"。如果说前面我们主要是从正面来讲哲学是什么的话，那么这里我们将通过梳理常识、科学、宗教、信仰这些与哲学一样都是解决人与世界关系的"哲学的左邻右舍"，辨析它们与哲学之间的异与同，厘清哲学的边界，勾勒出哲学的面貌。

哲学与常识

　　公鸡打鸣后天就亮了，太阳每天从东方升起，穿上棉袄人就暖和了……这些都是人亲身经历过的真实事情，从来没有骗过任何一个人。天长日久，这些就都成为了常识。

　　常识，是人们日常生活中对客观事物的经验感受和认识。常识是人类社会世代经验的积淀。常识的特点就是"经验"，是不需要经过大脑理性处理的。

常识不完全是错误的认识。常识有两种：一种原本是科学的发现，但随着人类的进步和发展，而转变成为常识了。比如地球是圆的、地球是围绕太阳转的，在哥白尼（Copernican，1473—1543 年）时代是伟大的科学发现，今天则成为常识；一种则是人们在日常生活中积累起来的经验。比如，开水会烫伤人、海水是咸的。常识反映了事物现象，对事物本质往往没有深究。不能把错误的认识一概归入常识，但常识也有错误的，至少是不严谨的。天不是公鸡喊亮的，太阳也不是东升西落，棉袄本身是不会发热的。常识体现出来的感觉的真实、现象的真实与背后的真正原因、真实情况往往有很大差距。

哲学是对常识的理性超越，仅仅用常识是理解不了哲学的。从现象来看，哲学好像一种"胡思乱想"，甚至还是对常识的一种颠覆。所以当我们简单地把常识与哲学搅到一起的时候，不仅得不出有用的结论、明确的答案，反而会滋生出莫大的迷惑，把自己搞得晕头转向。

古希腊哲学家芝诺（Zeno，约前 490—前 425 年）曾提出过两个著名的论断：

一个是"飞矢不动"。从常识看，在空中飞行的箭怎么能不动呢？但芝诺说，箭在每一个时间点肯定要在一个固定的位置上，所以从这一个一个的时间点来看，箭当然是停止的。

另一个是"阿基里斯永远追不上乌龟"。芝诺说，假如让乌龟先爬上一段路，哪怕这段路很短，让一个古希腊跑得最快的人阿基里斯去追也还是追不上的。为什么呢？因为在阿基里斯追上乌龟之前，必须先到达乌龟先前到达的地方，可是当他到乌龟先前到过的地方时，乌龟又往前爬了。不管乌龟爬得有多慢，你都先得到达它先前已经爬过的地点，这样当然就不可能追上乌龟了。

这两个论断从常识上讲不值一驳。亚里士多德说，阿基里斯会追上乌龟的，只要准许他越过界限就可以了。我们普通人没有亚里士多德那么儒雅，但会很直白地说，你芝诺既然认为飞矢是不动的，自己站到箭头前面试试。这种辩驳固然不错也很有力量，可已经不是芝诺的逻辑了。芝诺的问题是如果你去反驳他的逻辑推演过程是很不容易的、甚至是不可能的。所以，列宁曾经讲过，"问题不在于有没有运动，而在于如何用概念的逻辑来表达它"[14]。这句话点出了哲学与常识的差别。

常识作为经验永远只能停留于有限，哲学可以在有限中去体察无限。我们都知道芝诺是错的，但在这一点上哲学的错误是深刻的错误，常识的正确却是肤浅的正确。哲学如果不能超越常识，哲学就永远不可能成为哲学。

不过话又说回来了，哲学如果不能最后变成常识，就只能在故纸堆里自娱自乐，只能在小圈子里孤芳自赏，这样的哲学有也等于没有。在评价中国佛教禅宗时，有句俗语"真佛只讲平常话"，说得很深刻。佛讲的当然是哲学层面的东西，但讲出来的时候要变成百姓都能听懂的话。能讲平常话的就很容易为百姓所接受，哲学也应该这样。

从根本上讲，哲学并不是必须与常识对立。如果把哲学与常识的关系比作现象与本质的关系，固然会有一些现象似乎显得与本质没有关系、相背离，但更多的时候现象还是在忠实地反映着本质。甚至可以说，看似与本质不相关、相背离的现象，并不是真的不相关与相背离，很有可能是人的臆想与幻觉罢了。需要改变的不是现象本身，也不是对常识的信任，而是对某一旧常识的放弃。所以，哲学其实有一个很艰巨的任务，就是要让哲学的认识不断地变成常识，用新常识去替代旧常识。

超越常识，又回归常识，这既是哲学的悖谬，更是哲学的责任。

哲学与科学

经常会有人问这样一个问题："哲学是不是科学？"应该

说这一提问是很有水平的，因为它看到了哲学与科学之间那种难分彼此又确有彼此、若即若离又不即不离的关系。

笼统地讲，哲学包括许多流派、有各种体系，众多流派和体系甚至是相互对立的，有正确的与不正确的，有科学的与不科学的，极而言之，还有进步的与反动的之分，所以不能统而概之地讲一切哲学都是科学，科学的哲学才是科学。

哲学显然具有科学性的问题。马克思主义哲学是科学世界观，毫无疑问是科学。哲学不等于具体科学，哲学也不能取代具体科学；哲学指导具体科学，又来源于具体科学；具体科学为哲学提供养料。

哲学与科学的关系首先是历史性的。

在古代相当长一个时期内，科学是包含在哲学里面的，哲学在当时是包罗万象的知识大全。像我们曾经讲过的古希腊第一个哲学家泰勒斯之所以能用天文学的知识证明哲学家的本事，就是因为当时天文学还没有从哲学中分离出来。

后来，科学不断地从哲学中分化出来，每一门学科的分化就意味着这门学科的成熟。尽管如此，与各具体学科相比，哲学的地位依然高高在上，所以直至近代前期，哲学还被视为"科学的科学"，甚至还肩负有指导各门科学的使命。

进入近代后期、特别是进入现代之后，科学发展的速度越来越快，不断地成熟、不断地分化，越来越多的哲学"世袭领地"被侵蚀、被瓜分，哲学不断地退让，好像都要退无可退了。但最让人感兴趣的是，哲学不仅没有萎缩反而益发兴盛。正像一位哲学家所讲的，哲学"无家可归"的时候，正是"四海为家"的开始。

哲学在科学频频"攻城略地"的同时还能悠然地"四海为家"，是因为科学和哲学的领地是共荣共存，而不是此消彼长的。曾有一位哲人形象地用"圆"描述了哲学与科学的关系：科学好比圆内的部分，哲学则是圆圈本身。圆的面积扩大，科学的领地就扩大了；圆圈内部延伸了，哲学的地盘当然也增大了。

之所以能出现这样一种状况，是因为哲学与科学研究对象不同，科学研究世界的具体对象，哲学则关注"关注世界关系"的思想本身；科学研究世界各领域具体的规律，哲学则关注世界最一般的规律；科学坚持逻辑与理性，哲学在坚持逻辑与理性的同时，也给直觉与非理性预留了空间。像中国禅宗哲学的"顿悟"不能说是非理性的，至少也是超理性的。

哲学与具体科学是有区别的。具体科学虽然也有一套理论体系，但它们只是物质世界某一领域特殊规律的科学，而不是从总体上把握世界最一般的规律。哲学是从各门具体科

学中抽象和概括出来的最一般的观点、原则。哲学不能代替
具体科学，但为具体科学提供世界观方法论的指南。哲学是
自然科学和社会科学的结晶，代表一个时代的哲学，是该时
代实践经验、自然科学知识和社会科学知识的概括和总结。
哲学虽然是系统化、理论化的世界观，但不是任何哲学都是
正确的、科学的。

　　但是，不管我们对哲学与科学做多少区别，它们之间的
关系却是分得多，联得更多。

　　哲学不能取代具体科学，而具体科学也不能取代哲学。
哲学之所以没有被具体科学所取代，是因为哲学随着科学的
发展而不断发展，科学越发展，越需要哲学世界观方法论的
指导；科学越发展，越会提出新的哲学问题。譬如信息科学
的发展就为哲学提出了一系列重大问题，需要从哲学层面上
给予回答。哲学问题往往不是来自自身，而是来自现实、来
自科学。科学越发展，哲学就越发展，新的哲学问题就会不
断出现。

　　科学发展会引发对哲学问题的重新认识，甚至会改变哲
学的形式。在量子力学出现之前，哲学关于物质存在的认识
是很确定的。当我们说一个物体存在的时候，当然是指它在
某一时间点上肯定就在某一空间点上，不会因为你不去观察
它，它就不存在。但量子力学告诉我们，某一个粒子在某一

个时间点上既可能在 A 点，也可能在 B 点，这就是量子力学著名的"测不准原理"。把这一原理再往前延伸一步，就是同样著名的"薛定谔猫"：一个封闭的盒子里放一只猫和一个衰变的粒子，衰变的粒子对猫的生命是有威胁的，但在打开盒子之前，猫是死是活是不确定的。量子力学的出现，需要我们对传统哲学的存在观作出新的阐释。

哲学的思维则会成为形成科学的范式，影响着科学的发展。恩格斯曾经讲过："自然科学家相信，他们只要不理睬哲学或辱骂哲学，就能从哲学中解放出来。"[15] 但他们实质上做了哲学的奴隶，而那些侮辱哲学最厉害的恰好是最坏哲学的最坏、最庸俗的残余的奴隶。数千年来人类发展的历史确实证明了这一点，自以为摆脱了哲学，殊不知陷入了更深的哲学洞穴。就不用讲那些平庸之辈的可笑境遇了，就连牛顿（Newton，1643—1727 年）这样的大科学家都难逃机械哲学的羁绊。牛顿用万有引力解释大千世界的风云变幻前无古人，到晚年却一定要找上帝来做"第一推动"。他相信一切行星在外力推动作用下开始运动的观点，受到亚里士多德唯心主义哲学的影响。一个伟大的自然科学家好像顺其自然地离开了科学走向了宗教，这背后的推动其实不是什么上帝而正是他的哲学。不彻底地告别唯心论，线性机械的哲学思维不管走多远，不管走多久，迟早会与上帝相遇。当然，牛

顿晚年虔心为《约翰启示录》做注，也是为了求得精神的
慰藉。

　　正确的、科学的哲学指导具体科学，而错误的、不科学
的哲学误导具体科学。任何一个自然科学家都会自觉地或不
自觉地接受某种哲学世界观，受到某种哲学世界观的引导和
影响。

哲学与文化

　　关于哲学与文化的关系，黑格尔有段话讲得很好："某
一特定哲学之出现，是出现于某一特定的民族里面的。而这
种哲学思想或观点所具有的特性，亦即是那贯穿在民族精神
一切其他历史方面的同一特性，这种特性与其他方面有很紧
密的联系并构成它们的基础。因此一定的哲学形态与它所基
于出现的一定的民族形态是同时并存的：它与这个民族的法
制和政体、伦理生活、社会生活、社会生活中的技术、风俗
习惯和物质享受是同时并存的。而且哲学的形态与它所隶属
的民族在艺术和科学方面的努力与创作，与这个民族的宗
教、战争胜败和外在境遇——一般讲来，与受过一定特定原
则支配之旧国家的没落和新国家的兴起（在这新国家中一个
较高的原则得到了诞生和发展）也是同时并存的。精神对它
所达到的自我意识每一特定阶段的原则，每一次都把它多方

面的全部丰富内容发挥出来，宣扬出来。"正因为如此，"哲学是这样一个形式：什么样的形式呢？它是最盛开的花朵。它是精神的整个形态的概念，它是整个客观环境的自觉和精神本质，它是时代的精神、作为自己正在思维的精神"。[16]

黑格尔这段话，把哲学与文化之间相生相依、相得益彰的关系讲得很到位。

文化包括哲学，哲学也是文化，二者源源不断的源泉都是人民群众火热的现实生产和生活。哲学是文化的灵魂。没有脱离文化的哲学，也没有脱离哲学的文化。哲学总是产生于一定的文化，是对一定文化的概括、总结、继承和发展。人类文化的进步，是以哲学的进步为前提的，同时文化的进步又推动哲学的进步。

文化和哲学这种互相交替的前进就好像一个人的双脚在地上行走一样。一定的文化必将产生一定的哲学，同样，一定的哲学也必将推进和发展一定的文化。没有哲学的文化是不可想象的，只有哲学深入到文化当中，融入到文化当中，文化才有生命力和活力。同样，一定的哲学必将产生于一定的文化，产生于一定的历史悠久的传统文化，产生于这个民族的根和血脉之中，这种哲学才是有生命力的，才能指导、推进、引导、发展该文化。

哲学与宗教

按照恩格斯致康拉德·施米施的信的说法，哲学与宗教都属于"更高地悬浮于空中的意识形态的领域"[17]。哲学与宗教都属于更高即更远离物质——经济基础的意识形态的形式。与哲学一样，宗教在"人们头脑中发生的这一思想过程，归根结底是由人们的物质生活条件决定的"[18]。

宗教离物质生活最远，而且好像同物质生活不相干，但它是最原始的时代从人们关于他自身的自然和周围的外部自然的错误的、最原始的观念中产生的。远古时代生产力很低，人类畏惧自然力，就会产生对自然的畏惧，形成对神的崇拜。宗教"有一种被历史时期所发现和接受的史前的东西，这种东西我们今天不免要称之为愚昧。这些关于自然界、关于人本身的性质、关于灵魂、魔力等等的形形色色的虚假观念，多半只是在消极意义上以经济为基础；史前时期低水平的经济发展有关于自然界的虚假观念作为补充，但是有时也作为条件，甚至作为原因"[19]。随着私有制的产生，宗教越来越成为统治阶级的工具，成为与私有制的社会制度相适应的等级制的宗教。宗教一旦形成，总要包含某些传统的材料，而在一切意识形态领域内，传统都是一种巨大的保守力量。当然宗教在历史发展进程中同新兴阶级也曾联系在一起，如欧洲新教同正在兴起的新兴资产阶级相适应。但它随之越来越变成统治阶级专有的东西，统治阶级只把它当作使下层阶级就范的统治工具。

哲学与宗教的关系恐怕是剪不断理还乱。据考证，哲学与宗教同源，都是从上古的神话演化而来。西方在中世纪时期，哲学甚至丧失了独立，成为了宗教的婢女。可是到后来文艺复兴时期，哲学又成为批判神学、冲破禁锢、进行启蒙的秘密武器。

哲学作为系统化、理论化的世界观，立足于理论论证和逻辑分析，有一整套理论观点，用讲理的办法使人们接受它对世界的总看法。宗教也是一种世界观，它对世界的本原、本质也有自己的看法，它认为世界是由超自然的力量支配的，是神创造的。但宗教需要用内心信仰、个人对超自然力量的顶礼膜拜来听信它对世界的总看法。哲学诉诸理性的沉思，宗教则让人沉醉于情感的狂热。

哲学与宗教的目标是不一致的。哲学让人更为理性，而宗教让人麻醉。宗教是有神论，唯物主义哲学坚持无神论，从根本上是反对宗教神学的。当然宗教除了麻醉的功能外，对哲学、道德、艺术、音乐、建筑、文化都有所贡献，那是另外一个问题。在如何解决达到目标的方式上，哲学与宗教也是各奔东西的。哲学坚持通过人自我的反思、省察、认识，通过对人本身、人的关系及人的现实活动的理性思考来寻找人生的意义、来求得人的解放。尽管有些哲学宣称反理智，可是意识到这个"反"靠的还是理智。

宗教则恰恰相反。正如马克思所言："宗教是还没有获得自身或已经再度丧失自身的人的自我意识和自我感觉。""宗教是人的本质在幻想中的实现。"[20] 马克思把宗教称之为"鸦片"，其实正是深刻地看到了鸦片麻醉功能的负面作用。然而，这种负面作用对于身处其中的百姓信徒来说，这样的麻醉似乎又是"美好的"，至少不用像哲学那样，过分的清醒、过分的理智、过分的反思。对于剥削阶级统治集团来说，宗教却是欺骗、麻痹、统治人民的一种有目的的手段和工具。

不过，哲学也不尽然拘泥于理智。有些哲学为神秘留有空间，对权威也保持敬意，像康德明确表示理性要有边界，要人承认对边界之外的无可奈何；黑格尔庞大的哲学体系最终还是托付给了高高在上、人不可能望之项背的绝对理性。尽管如此，哲学始终不愿意承认有一个人格化的、外在的神的权威。哲学没有"上帝"，没有"真主"，但是宗教必须要一个人格化的"神"，如上帝、真主、佛。唯心主义是精致的、理性化的宗教，而宗教则是神圣化、神秘化的唯心主义。

哲学始于感性，但是坚持在理性中展示并深化、提升自己；宗教虽然也需要理性为它增加说服力，但最终一定要止于感性，要看到"神"或者说看到"神"的神奇。

哲学与信仰

谈过哲学与宗教的关系，就一定要接着讲哲学与信仰的关系。

如果说哲学与宗教同为河流，泾渭分明的话；哲学与信仰则是既有联系又有区别。泾渭可合流，但终是两支。我们前面讲过，西方中世纪哲学作为神学的婢女也似乎合二为一过相当长一段时间，但环境一变化，文艺复兴一萌动，马上就分开了。

哲学与信仰的问题比较复杂。首先要区别日常用语中"信仰"的含义与哲学用语中"信仰"的含义。日常用语中的"信仰"相当于"相信"，而在哲学用语中的"信仰"是与理性相区别的，当然与理性也不是没有关系。其次要区别哲学信仰与宗教信仰的不同含义。宗教信仰是建立在感情基础上的，带有浓厚感情色彩，宗教信仰是哲学所反对的。而经过哲学理性充分认识了的哲学信仰，虽然与理性相区别，但又以理性作为基础和前提。比如马克思主义哲学，从人类历史发展规律的必然性上看到了未来共产主义社会的必然趋势，共产主义理想信念正是建立在这一理性判断基础上的信

仰，却又是为哲学所支持的。可见要区别两种信仰：一种是
宗教信仰，一种是哲学信仰。信仰是对终极价值的追求，是
对超越性的承认与尊重。宗教信仰超越了知识、超越了理
性、超越了当下、超越了现实。但马克思主义哲学对人类未
来的信仰同样具有超越性，超越当下、超越现实，但不能说
超越知识、超越理性。马克思主义的哲学信仰是以知识为依
据、以科学为依据，以符合人类社会发展规律和趋势的现实
必然性的理性判断为依据，而不是非理性、非科学、非知
识、非现实的。

　　谈论信仰最多的是宗教，宗教谈论的信仰有浓厚的
神学色彩。像"经院哲学之父"安瑟尔谟（又译安瑟
伦，Anselmus，约1033—1109年）讲："我绝不是理解
了才能信仰，而是信仰了才能理解。"拉丁教父德尔图良
（Tertullianus，150—230年）明确宣称："对信仰来说，什么
也不知道就是知道一切。"但不能把信仰完全等同于宗教，
更不能把信仰完全归之于宗教。

　　只是由于宗教的"神"是超越的，必须以信仰来为之论
证。所以，信仰与宗教在一起不是在"神"的意义上的结
盟，而是在"超越"意义上的殊途同归。信仰也确实为宗教
的"神"找到了一个相当稳固的"安身立命"之处。

　　谁都没有见过上帝，谁都不知道上帝是什么样子，人们

为什么要相信上帝的存在呢？对于不信神的人来说，这样的质疑似乎已经很有力量了，但他们还不满足，甚至拿出了理性的终极武器——"悖论"来否认上帝的存在："上帝能不能造出自己搬不动的石头。"提出这一命题的人自认为很得意，因为如果上帝能造出自己搬不动的石头，就证明他不是万能的，因为有他搬不动的石头；如果上帝造出的石头他都能搬动，就说明他还是没有能力造出他搬不动的石头，他也不是万能的。反正不论怎么说，上帝都不是万能的。

然而，信仰上帝的人一句话就给顶回去了：你这套逻辑不过是俗人的理性罢了，只能在理性里打转转的人，怎能想象和沐浴上帝的光辉？上帝的万能、上帝的光辉是人用理性不可能理解的，只能用信仰去拥抱。

确实，宗教尊重信仰，拥抱信仰。恰恰宗教由于排斥理性，宣扬蒙昧主义、宣传迷信，是反理性主义的。由于自身的特点是依靠信仰而不可能尊重理性。当然，理性也是有局限性的，理性的局限性是相对于人的情感而言的，因为人不仅仅需要理性，也需要情感，情感往往与非理性因素，如情、欲等联系在一起。毕竟理性只能解决它能解决的问题。

理性可以有局限，哲学不能因之局限自己。从认识论角度来说，理性的局限性就是认识的局限性。任何人的认识都是有局限性的，总有存在于人的认识能力之外的问题。这些问题不能交给信仰，而是依靠实践不断提升人的认识能力来解决，这就是思维的至上性和非至上性问题。只有马克思主义哲学才科学地说明了思维的至上性和非至上性、有限性和无限性的辩证关系。而有些哲学家看不到这一点，又堕入宗教神学的泥坑。大哲学家康德为理性大唱赞歌之后，坦然表示："限制理性，以便为信仰保留地盘。"在这里康德又为宗教信仰保留了地盘。哲学信仰与宗教信仰是有很大不同的。

宗教信仰是要为他们的"神"找一个安身立命之处。哲学信仰则在于追求真理本身。

五、怎样学哲学用哲学

由于哲学的魅力，很多人也想走向哲学，做不到游刃有余，哪怕是用哲学包装一下也有好处。但哲学实在不是通俗小说，于是就有人想出了学哲学的捷径，通过时不时从嘴里冒出一些哲学大家的名言警句来装点门户，以显示自己懂哲学。我们不能一概否定这种做法，但把这当作通向哲学之路恐怕是缘木求鱼。黑格尔曾经意味深长地讲过一句话：同一句格言，在一个饱经风霜、备受煎熬的老人嘴里说出来，和在一个天真可爱、未谙世事的孩子嘴里说出来，含义是根本不同的。要想走向哲学，拥抱哲学，不经过哲学方面的艰难跋涉是不行的。一般来说，下面几个阶段是必不可少的。

掌握知识

虽然哲学不等于知识，哲学也特别强调与知识的界限，但离开知识也不会有哲学。黑格尔针对一些人对哲学的误解与对哲学知识的轻视，不厌其烦地说了一大段话："常有人将哲学这一门学问看得太轻易，他们虽从未致力于哲学，然而他们可以高谈哲学，好像非常内行的样子。他们对于哲学的常识还无充分准备，然而他们可以毫不迟疑地，特别当他们为宗教的情绪所鼓动时，走出来讨论哲学，批评哲学。他们承认要知道别的科学，必须先加以专门的研究，而且必须先对该科学有专门的知识，方有资格去下判断。人人承认要想制成一双鞋子，必须有鞋匠的技术，虽说每人都有他自己的脚做模型，而且也都有学习制鞋的天赋能力，然而他未经学习，就不敢妄事制作。唯有对于哲学，大家都觉得似乎没有研究、学习和费力从事的必要。"[21] 黑格尔的这段话怨气与火气都很大，看来哲学家也有着急上火的时候。

但是，黑格尔的"怨气与火气"无非想表明，掌握基本的哲学知识是学习哲学的第一步。哲学知识体现在哲学史中，历代哲学家的著述是学习哲学的必经阶梯。同时哲学知识还体现在自然科学知识、社会科学知识、社会实践知识上，学习和掌握这些知识是学习哲学所必需的。需要强调的是，哲学论述与其他学科的著述还不一样。其他学科的著述有过时和错误一说，有了最新发展的成果就不一定非得去看过时的成果，有正确的就不一定非得去看错误的。哲学并不这么绝对。从思想激荡传承的角度来看，甚至没有哪一个哲学家的著述是过时的，也没有哪一个哲学家的著述是完全没有价值的，甚至一些被认为是错误的著述在哲学发展中也有它的意义，能够给人以启迪。有时候要想真正了解某个哲学家的思想，只看他自己的著述还是不够的，还必须去看与他对立的、专门批评他的某个哲学家的著述。

学哲学绝对不能停留于知识层面。没有哲学知识不行，拘泥于哲学知识更成问题。仅仅掌握知识绝对成不了哲学家，恐怕不能说是懂哲学的人，有时候甚至连哲学的门都没有进入，最多只是哲学教书匠罢了。掌握知识这一阶段必须得有，但又必须跨越，跨过了这一阶段，才算走向哲学之门。但如果陷入其中便成了玻璃箱中的苍蝇，四处乱撞没有出路。

追寻智慧

不管你是哲学专业的学生还是非哲学专业的学生，上大学哲学的第一课，听到的第一个断言肯定是：哲学就是"爱智慧"。这不仅仅是由于哲学"Philosophy"这个词来自于古希腊文，由 philo（爱）和 sophia（智慧）两部分组成。更主要的是哲学从诞生起就是以爱好、追寻智慧为目标。古希腊早期的哲学家都是博学多才的学问家，但最让他们引以骄傲的不是他们的学问，而是他们对智慧的热爱追寻，对人生宇宙的探求。

智慧是什么？不是知识，不是结论，不是技能，而是对人生、对世界、对宇宙的一种自觉、反省、质疑、批判、拷问、追本溯源、刨根问底等等状态。苏格拉底解释为什么自己被德尔斐神庙认为是最有智慧的人时说，"因为我知道自己无知"。满腹经纶无所不知不是智慧，知道自己无知的这一行为才算得上智慧。

从知识上升到智慧本来已经是一大跨越了，但哲学绝对不停留于智慧。哲学爱智慧，重点在"爱"上，不是在"智慧"上。所以哲学的爱智慧强调的是追寻智慧的这一过程，而不是智慧本身，或者说不仅仅是智慧本身。

可是，爱智慧不是一件轻而易举的事情，更不是想当然的冲动。爱智慧是要有条件的，亚里士多德给出了三个条件：闲暇、好奇与自由。

所谓闲暇，就是你有足够的时间来追寻智慧。一个整天忙忙碌碌，被事务性工作压得喘不过气来的人，一个从早晨一睁眼就忙到天黑的人，就算他想追寻智慧也是有心无力。

所谓好奇，则是一个人对世界、对宇宙、对人生一种由衷地、没有功利地、不可遏制地探求。对于一个人来说，闲暇容易，好奇难得。饱食终日往往会是无所用心，满足了荣华富贵就不去想其他的了，宇宙星辰、江河大地与我何干。但好奇则把这一切都轻轻带过，不排斥荣华富贵，不留恋荣华富贵，只是面对这一切不断地发问。这是为什么？这又有什么意义？而这正是好奇。所以亚里士多德说："由于好奇，人们才开始哲学思考。"我们可以再加上一句：有了好奇，人的哲学之旅才算真正开始。

至于说自由，更是哲学必备的条件。自由是哲学的本性，自由也是哲学的保证。哲学所需要的自由是思想自由，即思想不为一些教条、传统观念所束缚。解放思想，则是哲学发展的基本前提。只要思想解放，敢为追求真理而献身，就会冲破一切固有条件的束缚。

当然，在这本马克思主义哲学的通俗读本中引用亚里士多德爱智慧的三个条件，即探寻哲学真谛的认识途径，虽然能给人一定的启发，但显然是不够的，也不一定是恰当的。毛泽东强调共产党人研究哲学、学习哲学，"不是为了满足好奇心，而是为了改造世界"[22]。这就一语道中马克思主义哲学改造世界的目的。从马克思主义认识论——实践出真知的基本观点来看，爱智慧的最根本的条件，应当是参与社会实践，脱离了社会实践，根本谈不上爱智慧，谈不上探索哲学真理。实践需要哲学，实践造就哲学。人们的哲学之问是实践提出来的，正是实践的需要引起并推动了哲学的发展，活生生的实践是哲学发展取之不竭的动力源。

涵养境界

学习哲学、掌握哲学，也需要一种很高的境界，但完全归于境界又过于狭隘。西方哲学的本体论、认识论、方法论都超出了单纯的道德涵养，而马克思主义哲学关于在改造客观世界的同时改造主观世界，通过改造主观世界来改造客观世界又大大超越了道德境界。道德境界不过是中国传统哲学人生伦理哲学所提倡的。但道德高尚、境界宽广、心胸开阔、视野远大、立场坚定，毕竟是掌握哲学的一种涵养境界。

哲学否定了片面地对知识的获取，变为一种爱智慧的追寻状态。这种追寻的状态让我们得以进入了哲学之门，开始了哲学之旅。但如何检验我们的哲学之旅走得好与坏，如何判定我们入哲学之门入得浅与深？这就要看哲学的境界。哲学境界需要哲人的修养。

进入哲学之门后便开始了哲学境界的涵养，这是一个没有止境的修养过程。在这一哲学之旅中，有的人可能终生跋涉不已但了无所得，有的人则可能在历经千辛万苦之后一朝顿悟。那么什么才是哲学的觉悟与进步呢？

中国禅宗大师曾经讲过一段话，对境界的阐述可谓极致：在没有觉悟之前，看山是山、看水是水；在追求觉悟的过程中，发现山不是山、水不是水了；在觉悟之后，看山又是山、看水又是水了。普通人可能认为这是瞎说，哲学不这么看。

绕了个圈，又回到了原地，但再回到原地的时候已经全然不同了。有人说我装觉悟了行不行？我说，你可以去装，但中国哲学有句真言叫"境由心生"，没有觉悟的"心"恐怕很难装出觉悟的"境"来。哲学从来没有一个评价境界的标杆，但境界的有无却如红炉白雪、高下立见，如人饮水、冷暖自知。

不过这样的境界观对于未入门者来说，确实有些过于难以把握。好在哲学家也体谅我们普通人的这种苦恼，也会说些大家能明白的话。

例如，哲学家冯友兰在他的《贞元六书·新原人》中把学哲学的人分为了四种境界：最低的是"自然境界"，完全是基于本能的活动，尚难说有对哲学知识的掌握和哲学智慧的追寻；第二层是"功利境界"，意识到了要建功立业，并且有了改造世界的行动；第三层是"道德境界"，已经达到了正其义而不谋其利，明其道而不计其功的自觉；最高一层则是超越世俗，物我两忘，和光同尘，与万物为一的"天地境界"。在冯友兰的这四种境界中，前两层是普通人已经具备和经过努力可以具备的境界；第三层则需要诚意正心、格物致知、事上磨炼、不断精进始有可能，"君子"、"贤人"与这一境界比较接近；第四层则是圣人的境界，一般人是达不到的。

实际上，冯友兰所讲的学哲学的境界用在掌握马克思主义哲学的共产党人身上，第一种境界是以工人阶级及广大人民的立场和感情学习哲学。马克思主义哲学是工人阶级的世界观，立场、感情不对头，很难接受马克思主义哲学。当然，接受马克思主义哲学又可以增强立场、感情的自觉性、坚定性。第二种境界是以改造世界，实现解放全人类的伟大历史任务为目的学习哲学。马克思主义哲学主张，学习哲学是为了掌握谋取工人阶级和全人类的解放和根本利益的思想武器。动机不纯，目标不对，也不可能真正学会马克思主义哲学。第三种境界是以为人民服务的献身精神学习哲学。学习马克思主义哲学不是为了实现个人私利，只有把个人的幸福与工人阶级、广大劳动人民和国家的前途命运联系在一起，献身于工人阶级和全人类的解放事业，才能真正弄懂马克思主义哲学。第四种境界就是以工人阶级伟大领袖的宽广胸怀和远大志向为榜样学习哲学。要向马克思、恩格斯、列宁、毛泽东的精神境界学习。当然，一般人是很难达到这样的境界的，但我们必须向这个境界看齐，才能深刻把握马克思主义哲学。

实践精进

哲学的涵养与觉悟仅仅是为涵养而涵养、为觉悟而觉悟吗？不是。哲学的涵养肯定要体现在哲人们的社会生活中，哲学的觉悟肯定要体现在哲人的行动上。

哲学家们从来没有把哲学的涵养当作一个自娱自乐，不与世界、不与他人发生关系的个人行为，"诚意正心"最后是要"治国平天下"的。

像西方的柏拉图，他的哲学最终构想的是一个理想国，在这一国度内，哲学家要成为国王，要去决定、掌管国家运行的一切大事。这就是大家熟知的"哲学王"的说法。

中国古代圣哲宣扬的"极高明而道中庸"，讲的也是哲学的追求探究可以至高至远到先天未化之时，但哲学的指向绝不会离开日用常行的现实生活；至于说"内圣外王"，同样是强调通过哲学的修养，对内让自己成为圣人，对外则要去主宰天下。

马克思主义哲学则是以实践的哲学实现哲学的革命与创新，目标明确指向要去改变世界，解放人类。马克思的名言："哲学家们只是用不同的方式解释世界，问题在于改变世界。"[23] 在把自己与旧哲学划清界限的同时，也为自己设立了使命。

哲学从来就是生活的、现实的、实践的，有什么样的哲学自然会有什么样的行动，真正的哲学从来不会说一套做一套。

有人会问，孔子（前551—前479年）曾经说过他是"述而不作"，这难道不是哲学与实践分离开了吗？其实不然，当孔子说他"述而不作"的时候，他已经在以述为作了。为了"吾从周"的理想，劝说当时处于礼崩乐坏的社会的君主们回归上古圣贤的规矩，孔子周游列国，颠沛流离，不忌讳"惶惶若丧家之犬"，不畏惧被嫉妒者设圈套暗杀丧失性命的风险，甚至也不回避被一个君主的风流小妾诱惑败坏清誉名节的风险，真可谓九死而无悔。哲学的最高境界是走向实践，哲学家的最高抱负是实践哲学。当然，这一点并不是所有的哲学、所有的哲学家都能办到的，但马克思主义哲学就做到了，马克思、恩格斯就做到了。

哲学本身也会为自己走向实践开辟道路。有人说哲学世界观看不见摸不着，是一个很虚的东西，就算我假装又有何妨，谁又能发觉，于是欣欣然地挂羊头卖狗肉。殊不知，哲学的世界观是做不得一丝假的，内在有什么样的世界观，外在就会有什么样的行为，犹如朗风霁月，纤毫毕现。自私的人必贪利，迷信的人必拜神，心中有鬼的人总是不敢去正眼看人。"一肚子男盗女娼"的人再怎么"满口仁义道德"也没有用。

以一些腐败官员为例。他们常常说着言不由衷的话，做着自己不想做的事，又还必须装得像模像样，不被组织与群众发现，这种煎熬真不是用言语所能表达的。甚至有些时候连他们自己都有些渴望"有一说一"，以至于有一些因腐败被抓的干部，入狱后竟然长长松一口气说终于解脱了。分裂的世界观导致内心迷茫与行为变异的力量之大可见一斑。

只有哲学才让我们知道所应做和所当做，只有具备哲学涵养的人才知道有所不为与有所必为。为什么应该有"哲学王"，为什么可以期待"内圣外王"，柏拉图早就说出了道理："哲学家非但不痴爱政治权力反而最为轻视之，但政治权力就应该掌握于这样的人之手。"一些政客们以为一朝权在手，便把令来行，囿于私利做些苟且之事已让人不齿，更可悲的是去干一些自以为正确其实是鼠目寸光、一叶遮目，甚至是盲人骑瞎马、夜半临深池的蠢事，对社会之害难以尽述。

对于马克思主义哲学来说，哲学来自实践，哲学又用于实践。让哲学走向实践，在实践中实现哲学，这既是哲学之幸，更是实践之幸。

结　语

要把哲学从书斋、讲堂中解放出来，从晦涩难懂、玄妙抽象中解放出来，从曲高和寡、阳春白雪中解放出来，让哲学走向坚实的大地，让哲学走向火热的实践，让哲学走向平凡的大众，让哲学成为大众改造世界、获得自由、实现全面发展的锐利武器。

注　释

1　李瑞环:《学哲学　用哲学》(上)，中国人民大学出版社 2005 年版，第 16 页。

2　《马克思恩格斯全集》第 1 卷，人民出版社 1995 年版，第 220 页。

3　《列宁专题文集　论辩证唯物主义与历史唯物主义》，人民出版社 2009 年版，第 146 页。

4　《马克思恩格斯文集》第 2 卷，人民出版社 2009 年版，第 51 页。

5　《马克思恩格斯文集》第 3 卷，人民出版社 2009 年版，第 523 页。

6　《马克思恩格斯文集》第 9 卷，人民出版社 2009 年版，第 439 页。

7　《马克思恩格斯文集》第 9 卷，人民出版社 2009 年版，第 22 页。

8　《列宁全集》第 55 卷，人民出版社 1990 年版，第 313 页。

9　《列宁全集》第 25 卷，人民出版社 1988 年版，第 38 页。

10　《马克思恩格斯文集》第 3 卷，人民出版社 2009 年版，第 502 页。

11　《毛泽东选集》第一卷，人民出版社 1991 年版，第 291 页。

12　《毛泽东选集》第一卷，人民出版社 1991 年版，第 290 页。

13　《马克思恩格斯文集》第 4 卷，人民出版社 2009 年版，第 278 页。

14　《列宁全集》第 55 卷，人民出版社 1990 年版，第 216 页。

15　《马克思恩格斯文集》第 9 卷，人民出版社 2009 年版，第 460 页。

16　黑格尔:《哲学史讲演录》第 1 卷，商务印书馆 1959 年版，第
55—56 页。

17　《马克思恩格斯文集》第 10 卷，人民出版社 2009 年版，第 598 页。

18　《马克思恩格斯文集》第 4 卷，人民出版社 2009 年版，第 309 页。

19　《马克思恩格斯文集》第 10 卷，人民出版社 2009 年版，第 599 页。

20　《马克思恩格斯文集》第 1 卷，人民出版社 2009 年版，第 3 页。

21　黑格尔:《小逻辑》，商务印书馆 1980 年版，第 42 页。

22　《毛泽东哲学批注集》，中央文献出版社 1988 年版，第 152 页。

23　《马克思恩格斯文集》第 1 卷，人民出版社 2009 年版，第 502 页。

与时偕行的哲学

——马克思主义哲学

马克思主义哲学是马克思主义的基石。了解马克思主义，要从马克思主义哲学开始。

欧洲的冬天是阴冷的。2008 年的欧洲，在金融危机的肆虐下，益发的阴冷而低沉。

在这阴冷和低沉中，马克思的《资本论》在欧美市场火爆热销，带来了冬天里的一把火。

买书的不仅仅是蓝领无产者，更多的是达官富豪和学者名流。据说德国财长施泰因·布吕克案头就摆放了一本满是圈圈点点的《资本论》，德国 31 所大学更是开设了《资本论》专题课。面对如此的热销，英国媒体甚至戏称，如果马克思还在世的话，《资本论》的巨额版税收入会让他轻松进入福布斯富豪榜。

我们中国人对一句话应该不陌生："一个幽灵，共产主义的幽灵，在欧洲游荡。"[1] 这是《共产党宣言》的开篇之语。160 多年过去了，19 世纪开始刚刚出生在欧洲大陆的马克思主义，不仅剿而未灭，反而登堂入室，备受推崇。

是时尚的玩笑，还是历史的选择；是情绪发泄的偶然，还是社会演进的必然。要理解这一切，就要去了解马克思主义哲学在说些什么，马克思主义哲学又说了些什么。

马克思主义哲学是马克思主义的基石。了解马克思主义，要从马克思主义哲学开始。

马克思主义哲学第一次在科学的基础上把唯物主义和辩证法统一起来，把唯物主义彻底地贯彻到社会历史领域，创立了辩证唯物主义和历史唯物主义，使哲学的内容、性质和使命都发生了不同以往一切哲学的革命性变革，第一次使哲学获得了真正科学的性质，成为全新的、科学的哲学世界观，标志着人类哲学思想进入到一个崭新的阶段。科学性、阶级性、实践性和创新性是马克思主义哲学的本质特征，马克思主义哲学是科学性与革命性、理论与实践的高度统一，是工人阶级立场、观点、方法的高度统一。

一、以科学赢得尊重

谎言也许能蒙蔽一时，但真理的光芒终将绽放；潮流也许能风靡一时，但面对历史的车轮只是过眼云烟。

任何理论，只有蕴含了科学的因素、获得了科学的支持、具有了科学的本性，才会找到并守住自己的位置。马克思主义哲学正是以其坚实的科学性屹立于人类哲学之林。

我们讲马克思主义哲学是科学的，来自于对下面四个事实的判断：

——马克思主义哲学是建立在科学基础之上的。恩格斯在马克思墓前的演讲中曾讲过："在马克思看来，科学是一种在历史上起推动作用的、革命的力量。任何一门理论科学中的每一个新发现——它的实际应用也许还根本无法预见——都使马克思感到衷心喜悦。"[2] 因为马克思认为，科学的进步不仅对历史发展有革命性影响，更对人类的思想、思维的进步有根本性影响。科学的进步拓展纵深了人类对自然与社会的认识，也让哲学的发展有了坚实的基础。19世纪科学技术的新成果，特别是细胞学说、能量守恒和转化规律、进化论这三大发现，形成了近现代科学发展的总体格局，使得我们可以"以近乎系统的形式描绘出一幅自然界联系的清晰图画"[3]，为马克思主义哲学的产生奠定了坚实的科学基础。

——马克思主义哲学是人类思想文化智慧的结晶。要比巨人高就要站在巨人的肩上。马克思主义哲学超越了以前的一切哲学，是因为它汲取了人类哲学史上的全部精华，特别是人类哲学史上唯物主义和辩证法的优良传统与科学成果。具体来说，德国古典哲学中黑格尔的辩证法和费尔巴哈的唯

物主义是马克思主义哲学的直接理论来源。马克思主义哲学
对黑格尔的唯心主义辩证法和费尔巴哈的人本主义唯物主义
进行了革命地改造，继承了唯物主义的"基本内核"，汲取
了辩证法的"合理内核"，实现了两大有机统一：一是实现
了唯物主义和辩证法的有机统一，让唯物主义贯穿着辩证法
形成辩证唯物主义，让辩证法建立在唯物主义基础上形成唯
物辩证法；二是实现了自然观和历史观在人类社会实践基础
上的有机统一，彻底地解决了思维与存在这一哲学基本问
题。马克思找到了社会物质生活资料生产这一历史的现实基
础，发现了物质性的经济关系这一历史的决定因素，发现了
人类历史的发展规律，从而创立了唯物史观。

　　——马克思主义哲学正确地揭示了自然、社会、思维发
展的最一般的规律。自然、社会、思维发展的规律是客观且
不以人的意志为转移的，没有发现不等于不存在，不愿意去
真实反映规律不等于能否认规律。资产阶级思想家出于对既
有社会制度的维护总是自觉不自觉地去曲解对规律的认识。
而马克思主义哲学不仅对人类社会发展的一般规律的把握是
真实、深刻、准确的，而且对这些规律的揭示和阐释同样展
现了强大的逻辑力量与超凡的学术魅力。19 世纪末，曾有
一批资产阶级学者围剿马克思《资本论》，绞尽脑汁，百般
挑剔，最后不得不慨叹道："从立场上批判马克思容易，从

理论上否定马克思很难。"为什么很难？是理论的无懈可击，是逻辑的不可辩驳。马克思有一句名言："理论只要说服人 [ad hominem]，就能掌握群众；而理论只要彻底，就能说服人 [ad hominem]。所谓彻底，就是抓住事物的根本。"4 这正是对马克思主义哲学逻辑力量最好的注解。

——马克思主义哲学生长于工人阶级的伟大实践。哲学的诞生与发展离不开具体的社会生活实践，先进的、科学的社会生活实践为哲学的诞生准备了肥沃的土壤。19 世纪中叶资本主义内部矛盾日益激化，欧洲先后爆发了英国工人的宪章运动、法国里昂工人起义和德国西里西亚纺织工人起义等三次大的工人运动。这标志着工人阶级作为一支独立的政治力量登上历史舞台的同时，也为马克思主义哲学奠定了坚实的实践和阶级基础。马克思主义哲学就是诞生在工人运动的凯歌突进中，马克思主义哲学从诞生起就与工人阶级争取自由解放的运动同成长、共进退；与人类社会发展进步的大趋势步调一致，相呼应和。

当我们理解了这一切，对以下这些现象就不会感到奇怪和惊讶了：

——法国哲学家萨特（Sartre，1905—1980 年）后期曾经下大工夫于他的代表作《辩证理性批判》，旨在以"人学辩证法"代替"唯物辩证法"，但到晚年却向学生忠告：马克思是一座不可被超越的思想高峰。

——又一个法国哲学家德里达（Derrida，1930—2004年），本不是马克思主义者，可在20世纪90年代整个西方世界欢呼苏东剧变的背景下，力排众议"向马克思致敬"。德里达的解构主义哲学和马克思主义哲学大相径庭，他的致敬当然不等于服膺，我们决不能接受用解构主义来解构马克思主义哲学。

——1999年，英国剑桥大学文理学院教授们发起评选"千年第一思想家"，结果是马克思位居第一；同年9月，英国广播公司（BBC）又以同一命题在全球互联网上公开征询投票一个月，仍然是马克思位居第一。2005年7月，英国广播公司又以古今最伟大的哲学家为题，调查了3万名听众，结果马克思以27.93％的得票率荣登榜首，英国本土自己的大哲学家休谟在占尽主场优势的情况下，以十多个百分点的差距排在第二。

这样的现象在过去不断地发生，在未来也必将更加频繁地出现。马克思、恩格斯和马克思主义哲学以其无可置疑的科学性，彻底赢得了世界的尊重，尤其是他的反对者的敬重。马克思主义哲学代表了工人阶级这一先进生产力，体现了历史发展的规律和趋势，代表了工人阶级和广大人民的根本利益。

二、以立场获得力量

不同的人会有不同的哲学，不同的人又需要不同的哲学。有钱的人怕世乱，当皇帝的求长生……既然社会有了阶级，有了分化，就不要去掩耳盗铃认为猫鼠能同心。

可是马克思以前的众多哲学都自觉不自觉地把自己视为一切人的哲学，其实透过言不由衷的普适呓语，不过是有闲阶级、剥削阶级的遮羞布、定心丸和兴奋剂罢了。毛泽东一针见血地指出："在阶级社会中，每一个人都在一定的阶级地位中生活，各种思想无不打上阶级的烙印。"[5]

马克思主义哲学旗帜鲜明地把自己当作工人阶级和劳动人民认识世界的科学方法论、改造世界的强大思想武器。马克思主义哲学具有鲜明的阶级性。

马克思主义哲学的这一立场选择狭隘吗？历史发展告诉我们说，绝不。正如恩格斯所言："科学越是毫无顾忌和大公无私，它就越符合工人的利益和愿望。"[6]

姑且不论工人阶级和劳动人民从当下的情形来看是人类的绝大多数，代表了他们就代表了人类；更重要的是从社会发展来看，工人阶级和劳动人民代表了先进生产力、代表了未来、代表了进步、代表了全社会。工人阶级没有一切剥削阶级和小资产阶级的思想体系所固有的阶级狭隘性和片面性，它体现了作为历史上最先进的生产方式代表的工人阶级的根本利益，与人类彻底解放的发展趋势相一致。马克思在《〈黑格尔法哲学批判〉导言》中热情洋溢地为工人阶级和劳动人民唱起赞歌："这个阶级与整个社会亲如兄弟，汇合起来，与整个社会混为一体并且被看作和被认为是社会的总代表；在这瞬间，这个阶级的要求和权利真正成了社会本身的权利和要求，它真正是社会的头脑和社会的心脏。"[7]

马克思主义哲学为这样一个阶级和群体服务不狭隘、不丢脸，而且有前途、有力量。

马克思主义哲学是马克思主义科学社会主义、马克思主义政治经济学的理论支撑。正是马克思主义哲学，让工人阶级有了自己的精神武器，可以在它的指导下去批判旧世界，创造新世界。

——马克思主义哲学为打碎这个旧世界的合理性提供了理论支持。通过对剩余价值的揭示，让世界明白，原来不是资本家在养活劳动者，而是劳动者通过自己的劳动创造着财富、积累着资本，反过来却又被资本奴役。这是多么的不合理，多么的荒谬，怎么不应该被消灭？

——马克思主义哲学为打碎这个旧世界的必然性与可能性作出了理论说明。"辩证法在对现存事物的肯定的理解中同时包含对现存事物的否定的理解，即对现存事物的必然灭亡的理解；辩证法对每一种既成的形式都是从不断的运动中，因而也是从它的暂时性方面去理解；辩证法不崇拜任何东西，按其本质来说，它是批判的和革命的。"[8]这一宣告"引起资产阶级及其空论主义的代言人的恼怒和恐怖"[9]，但它增强了工人阶级革命的信心与底气。

——马克思主义哲学为构建新社会描绘了蓝图。"代替那存在着阶级和阶级对立的资产阶级旧社会的，将是这样的一个联合体，在那里，每个人的自由发展是一切人的自由发展的条件。"[10]遵循马克思这一蓝图，"无产者在这个革命中失去的只是锁链。他们获得的将是整个世界。"[11]

马克思主义哲学也把工人阶级当作自己的物质武器，通过工人阶级实现着自己的哲学抱负，在创造新世界的同时实现人的解放，推翻那些使人成为被侮辱、被奴役、被遗弃和被蔑视的东西的一切关系，让共产主义的历史必然性走向实践。这个解放的头脑是哲学，它的心脏是无产阶级。

接受了马克思主义哲学洗礼的无产者从不因为自己的阶级身份感到羞愧，相反而备感骄傲。但以此为荣并不意味着永远去做无产阶级，无产者迟早要抛掉"无产阶级"这一称谓。只是无产者深深知道单独一个又一个的无产者靠个人的力量获得财富、改变地位是没有意义的。只有解放了全人类，最终才能解放无产阶级自己；只有消灭了整个与无产阶级相对应的社会关系，才能最终消灭掉无产阶级。

三、用实践实现革命

站在巨人肩上，只能说明比巨人高；沿着前人的路往前走也许能走很远，但毕竟还在老路上。

马克思主义哲学站在了巨人肩上又超越了巨人，在前人走过的路旁边又走出了一条新路。

这一超越、这条新路是以马克思主义哲学对实践观点的确立和对实践概念的完备规定开启的。实践性是马克思主义哲学的又一鲜明特色。

人类哲学的发展群星闪耀，但也步履蹒跚。在欧洲中世纪，哲学沦为神学的"婢女"，人"还没有获得自己或者是再度丧失了自己"[12]；在德国资产阶级革命时期，人刚从上帝那里站起来又拜倒在绝对精神的裙下。历代哲学家的思想犹如繁星但也只能星星点点，照亮一点的同时又面向了更大的黑暗；哲学只能在狭隘的领域、封闭的范围内孤立地、无为地进行思辨的自娱自乐。

但是，纯然的、与人不发生关系的客观不具有哲学意义，而思维抽象出来的纯粹逻辑理性则是对现实的颠倒，只有人的感性活动、人的实践才能将它们有机统一起来，使得哲学有了意义，世界也有了意义。马克思主义哲学第一次把实践提升为哲学的根本原则，转化为哲学的思维方式，从而创立了以实践为基础和核心的崭新形态的现代唯物主义，完成了哲学的革命，实现了哲学的创新：

——世界观不是神秘的，也不是天赋的，而是人在实践中形成的，人是通过实践活动来把握人与世界的整体关系，实践是人及社会的存在的基本方式。

——认识不是冥想、不是逻辑运动，只有实践才是认识的来源、动力、基础，并且成为检验认识之真理性的唯一标准。

——社会不是一个前置、空旷、独立的舞台，实践是人类社会得以存在和发展的依据，人们的一切社会生活究其本质是实践的。

这样的革命、这样的创新已然前无古人，但马克思主义哲学并未就此止步。马克思主义哲学不满足于哲学形态的革命、不停留于哲学方法的创新，而是更进一步走向哲学使命的革命、哲学功能的创新。

马克思主义哲学不仅以实践范畴为核心构建起了崭新完

整的理论体系，更重要的是开辟了从本体论认识现实的道路，找到了哲学与改变世界的直接结合点，把实践作为哲学的最高指向。

马克思说："对实践的唯物主义者即共产主义者来说，全部问题都在于使现存世界革命化，实际地反对并改变现存的事物。"[13] 这是对马克思主义哲学实践指向的最好陈述。毛泽东更是提出："让哲学从哲学家的课堂上和书本里解放出来，变为群众手里的尖锐武器。"[14] 现在回过头来看，中国社会一度的"工农兵学哲学"运动其实有很多值得我们汲取的财富，轻易地忘记与抛弃实在可惜。毕竟，"批判的武器当然不能代替武器的批判，物质力量只能用物质力量来摧毁；但是理论一经掌握群众，也会变成物质力量"[15]。如果我们用一种常规的心态、学究的思维对待革命的哲学，就不仅是我们的可悲，也会是马克思主义哲学的遗憾。

四、因创新引领时代

马克思说："任何真正的哲学都是自己时代的精神上的精华。"[16] 毫无疑问，诞生于 19 世纪的马克思主义哲学当然是那个时代精神的精华。但当我们回眸百余年历程，马克思主义哲学又确乎从来没有远离过这个世界，更不用说中国社会了。所以，**马克思主义哲学又当之无愧地成为了我们这个时代精神的精华，是充满创新性的哲学。**

这不是一厢情愿，而是马克思主义哲学的本质使然。

世界发生了变化，时代也出现了阶段性变化，但人类社会发展的必然趋势没有变化，资本主义社会的固有弊端与内在矛盾并没有消除，工人阶级的任务没有改变，人的自由而全面的解放使命没有终结，今日的人类社会依然处于工人阶级不断实现其历史使命的大时代中。科学技术进步了，生产力发展了，世界发生了自马克思主义诞生以来最醒目的沧桑巨变，人认识世界理解世界的范式、内容发生变化了，但世界的本质永远不会改变，自然界与人类社会的规律仍然不以人的意志为转移永远不会改变。"变化中的没有变"、"没有变中的变化"，决定了马克思主义哲学的基石没有被撼动，马克思对资本主义社会深刻透彻批判的这一基本事实没有变，我们依然处在马克思、恩格斯所判断的社会主义和资本主义博弈的时代，马克思主义没有过时，马克思主义哲学没有过时。

马克思主义哲学又是不断发展的。回答重大现实问题，是马克思主义哲学发展的重要经验。

19世纪40—50年代，随着资本主义社会矛盾日益尖锐

化，争取人类解放的无产阶级革命运动蓬勃兴起，资本主义
社会的发展规律和趋势、资产阶级的历史作用及其命运、无
产阶级的神圣使命与革命道路、无产阶级政党与无产阶级专
政等重大理论和现实问题历史地呈现出来。作为世界无产阶
级革命的导师，马克思、恩格斯敏锐地捕捉到并创造性地回
答了这些问题，系统阐明了马克思主义哲学的基本原理，为
无产阶级改造世界提供了强大的理论武器。

　　恩格斯曾经明确将科学的发现和进步与人类的思想认识
的发展联系起来，他说："随着自然科学领域中每一个划时
代的发现，唯物主义也必然要改变自己的形式"。[17] 马克思
主义哲学从来不为既有的个别论断固步自封。马克思主义经
典作家特别提醒，"结论要是没有使它得以成为结论的发展
过程，就毫无价值。……结论若本身固定不变，若不再成为
继续发展的前提，就比无用更糟糕。"[18]

　　马克思主义哲学的自我发展不仅体现在马克思之后，甚
至发生在他们自己思想的不断完善上。马克思、恩格斯在
《共产党宣言》发表24年后的1872年，在这篇经典著作的
德文版序言中写道："由于最近25年来大工业有了巨大发展
而工人阶级的政党组织也跟着发展起来，由于首先有了二月
革命的实际经验而后来尤其是有了无产阶级第一次掌握政权
达两月之久的巴黎公社的实际经验，所以这个纲领现在有些

地方已经过时了。"[19] 作为工人阶级"圣经"的《共产党宣言》尚且如此,更何况一些具体的论断。

所以,马克思主义哲学是精神不是教条,这一点是马克思主义经典作家反复强调的。"我们的理论是发展着的理论,而不是必须背得烂熟并机械地加以重复的教条。"[20] 为了避免一些人以马克思主义词句装点门面,到处去贴马克思主义的标签,马克思甚至多次强调"我只知道我自己不是马克思主义者"[21]。这样的话语背后是马克思对教条主义的辛辣讽刺与对马克思主义被异化的忧虑。

确实,马克思以后的哲学发展乃至社会演进中,马克思的忧虑不幸被他自己言中了。僵化马克思主义、教条马克思主义、空头马克思主义、冒牌马克思主义导致世界无产阶级革命运动受挫的同时,也在相当程度上损害了马克思主义在人们心中的形象。

进入新时代、新社会的马克思主义哲学,要继续放之四海而皆准,要继续保持理论之树常青,只有一个原则,这就是,"不丢老祖宗,又要说新话"。不丢老祖宗的精神,用老祖宗的立场、观点、方法去说我们这个时代需要我们去说的话,去说我们这个时代感兴趣的话,去说解决我们这个时代问题的话。

当年俄国的共产党人列宁面向他的革命者强调:"我们

决不把马克思的理论看作某种一成不变的和神圣不可侵犯的东西；恰恰相反，我们深信：它只是给一种科学奠定了基础，社会党人如果不愿落后于实际生活，就应当在各方面把这门科学推向前进。"²² 今天推进马克思主义哲学中国化的中国共产党人就是面对着这样的要求，也要去完成这样的任务。

当然，在创新马克思主义哲学的过程中，要有解放思想的自信，但不能有自以为是的自负。轻率的傲慢、狭隘的优越会搬起石头砸自己的脚。面对社会大众对我们所主张理论产生的困惑与疑虑，面对现实中出现的理论与实践之间的冲突与矛盾，必须谨慎辨析。一种可能是理论确实跟不上实践，对此我们可以大大方方地创新理论；但也可能是实践走入了误区，可人们囿于既得利益，不愿意向理论靠拢，反而倒打一耙去否定理论、去修正理论。

马克思主义哲学可创新，但不能被肢解；可发展，但不能被歪曲；可大众化，但不能被庸俗化。

结　语

马克思主义哲学是工人阶级的科学世界观，又是科学的方法论，为人们提供了观察和处理问题的唯一正确的立场、观点和方法，是人们认识世界、改造世界的锐利思想武器，是工人阶级政党确立正确的路线、纲领、方针、政策，建立科学的思想方法、工作方法和优良工作作风的世界观基础，用马克思主义哲学武装工人阶级政党，武装人民，加强党的建设，提高党的执政能力、领导素质和抵御各种风险的能力，是党带领人民夺取中国特色社会主义伟大胜利的理论指南和思想保证。

注　释

1　《马克思恩格斯文集》第2卷，人民出版社2009年版，第30页。

2　《马克思恩格斯文集》第3卷，人民出版社2009年版，第602页。

3　《马克思恩格斯文集》第4卷，人民出版社2009年版，第300页。

4　《马克思恩格斯文集》第1卷，人民出版社2009年版，第11页。

5　《毛泽东选集》第一卷，人民出版社1991年版，第283页。

6　《马克思恩格斯文集》第4卷，人民出版社2009年版，第313页。

7　《马克思恩格斯文集》第1卷，人民出版社2009年版，第14页。

8　《马克思恩格斯文集》第5卷，人民出版社2009年版，第22页。

9　《马克思恩格斯文集》第5卷，人民出版社2009年版，第22页。

10　《马克思恩格斯文集》第10卷，人民出版社2009年版，第666页。

11　《马克思恩格斯文集》第2卷，人民出版社2009年版，第66页。

12 《马克思恩格斯文集》第 1 卷，人民出版社 2009 年版，第 3 页。

13 《马克思恩格斯文集》第 1 卷，人民出版社 2009 年版，第 527 页。

14 《毛泽东文集》第八卷，人民出版社 1999 年版，第 323 页。

15 《马克思恩格斯文集》第 1 卷，人民出版社 2009 年版，第 11 页。

16 《马克思恩格斯全集》第 1 卷，人民出版社 1995 年版，第 220 页。

17 《马克思恩格斯文集》第 4 卷，人民出版社 2009 年版，第 228 页。

18 《马克思恩格斯全集》第 3 卷，人民出版社 2002 年版，第 511 页。

19 《马克思恩格斯文集》第 2 卷，人民出版社 2009 年版，第 5—6 页。

20 《马克思恩格斯文集》第 10 卷，人民出版社 2009 年版，第 562 页。

21 《马克思恩格斯文集》第 10 卷，人民出版社 2009 年版，第 590 页。

22 《列宁选集》第 1 卷，人民出版社 1995 年版，第 274 页。

立足中国实际"说新话"

——马克思主义哲学中国化

对于中国共产党人来说，马克思主义哲学中国化，就是把马克思主义哲学基本原理，即辩证唯物主义和历史唯物主义的世界观和方法论同发展的中国具体实际相结合，形成适应中国国情、具有中国风格、反映中国需要、运用中国话语体系、指导中国实践的、不断创新的哲学形态。

1958 年，中共湖北省委创办《七一》杂志，时任湖北省委书记的王任重（1917—1992 年）撰写《学习马克思，超过马克思》一文，派人将稿子送武汉大学校长李达（1890—1966 年）征求意见。李达读后说：马克思死了，怎么超？恩格斯也没有说过超嘛！比如屈原的《离骚》，你怎么超？应当是学习马克思主义，发展马克思主义。王任重接受李达的意见，发表其文章时把题目改为《学习马克思主义，发展马克思主义》。

　　李达作为中国马克思主义哲学大家，他的意见很有分量。

　　但是，也许哲学的魅力就在于此，截然不同的看法或许同样的有意义、有价值。

　　1959 年，还是王任重。毛泽东知道他那篇文章题目变化的来龙去脉后，对他讲过一句很有意味的话："不如马克思，不是马克思主义者；等于马克思，不是马克思主义者；

只有超过马克思，才是真正的马克思主义者。"[1]是毛泽东对马克思不尊敬吗？绝对不是。毛泽东曾经有个比喻，对于共产党人来说，马克思就是我们的上帝。作为一个坚定的马克思主义者，对于理论导师的感情是不容置疑的。

毛泽东说这样的话是一时戏言吗？绝对不是。其实这是毛泽东一以贯之的认识。在这前一年，也就是 1958 年中共八大二次会议上，毛泽东讲得更加的形象、具体、深入。

5 月 8 日，毛泽东在会上大声疾呼"破除迷信"，特别是"破马克思"的迷信，要"超马克思"。他说："我们大多数同志有些怕资产阶级的教授，整风以后慢慢地不大怕了。是不是还有另外的一种'怕'，即怕无产阶级教授，怕马克思。马克思住在很高的楼上，好像高不可攀，要搭很长的梯子才能上去，于是乎说：'我这一辈子没有希望了。'不要怕嘛。马克思也是两只眼睛，两只手，跟我们差不多，无非是脑子里有一大堆马克思主义。但是，我们在楼下的人，不一定要怕楼上的人。我们读一部分基本的东西就够了。我们做的超过了马克思，列宁说的做的都超过了马克思，如帝国主义论。马克思没有做十月革命，列宁做了；马克思没有做中国这样大的革命，我们的实践超过了马克思。实践当中是要出道理的。马克思革命没有革成功，我们革成功了。这种革命的实践，反映在意识形态上，就是理论。我们的理论水平

可以提高，我们要努力。"²

毛泽东为什么要说出这样的话呢？这是中国共产党人数十年来坚定坚持马克思主义的经验总结。一定要把马克思主义与中国实际相结合。结合了，就超过了；不断结合，就不断超过。超过，才是发展；发展，才能坚持。根据新的实践，不断推进马克思主义中国化，是坚持和发展马克思主义的必由之路。不断推进马克思主义哲学中国化，也是坚持和发展马克思主义哲学的必由之路。

一、繁荣发展的必经之路

对于中国共产党人来说，马克思主义哲学中国化，就是把马克思主义哲学基本原理，即辩证唯物主义和历史唯物主义的世界观和方法论同发展的中国的具体实际相结合，形成适应中国国情、具有中国风格、反映中国需要、运用中国话语体系、指导中国实践的和不断创新的哲学形态。

不断地推进并实现马克思主义哲学中国化，这才是真正坚持和发展马克思主义哲学，这才是为中国构建真正属于中国自己的时代哲学，这才是繁荣发展马克思主义，以及繁荣发展马克思主义哲学的正确途径。

　　马克思主义哲学中国化，实际上是两个方面的任务。

　　首先是创造马克思主义哲学中国化的理论成果，推进马克思主义哲学中国化的不断创新；其次是让马克思主义哲学原理和马克思主义哲学中国化成果为广大群众所接受、所实践，成为中国大众化的马克思主义哲学。

　　20 世纪初，马克思主义哲学作为人类最先进的思想，随着中华民族优秀儿女寻找救国图强的真理和道路而传到中国。马克思主义哲学是放之四海而皆准的普遍真理，然而作为外来的先进思想，要真正转变成中国人民改造旧中国的巨大精神力量，发挥科学理论的指导作用，必须与中国国情、与中国先进的思想文化相结合，必须为中国人民所接受，成为中国化的马克思主义哲学。马克思主义哲学中国化的过程，一开始就是中国共产党人运用马克思主义哲学武装头脑、指导中国实践的过程，就是与中国国情、中国本土的先进思想文化相结合的过程，就是为中国人民所普遍接受的过程。马克思主义哲学中国化符合人类思想文化世界性交融的规律，马克思主义哲学中国化也正是遵循了这个逻辑。马克思主义哲学中国化，既继承了马克思主义哲学的一般真理，继承了人类社会最先进的思想，又具有中国鲜明的民族形式和特征，富有中国本土思想文化的精华材料和中国共产党人的创新内容。

　　马克思主义哲学的中国化，就是既要以说明中国的现实问题为中心，来开展马克思主义哲学的研究和创新；又通过马克思主义哲学的研究和创新，运用于回答中国的现实问题，实现马克思主义哲学与中国实际的结合。

实现马克思主义哲学中国化，内在地包括了马克思主义哲学的时代化、民族化、现实化和大众化。

——马克思主义哲学中国化的进程，就是马克思主义哲学时代化的进程。马克思和恩格斯曾指出："一切划时代的体系的真正内容都是由于产生这些体系的那个时期的需要而形成的。"[3] 每个时代总有属于它自己的问题，准确地把握和解决这些问题，就能够把理论和实践推向前进。马克思主义哲学就是在回答和解决时代所面临的历史性课题的进程中不断创新和发展的。只有把握时代问题，认清世情，才能确定党和人民所处的时代地位和历史方位，才能把握中国发展的时代命脉和历史趋势，才能回答中国向何处去、中国通过什么样途径走在时代潮流前列的问题，才能在回答这些时代问题的同时推进哲学的升华。今天，在和平与发展成为时代主题的条件下，中国共产党人坚持用马克思主义哲学的宽广眼界观察世界，科学判断时代条件和世界发展趋势，认真吸取世界上一切民族和国家的先进文明，带领中国人民紧跟时代前进潮流，成功地走出了中国特色社会主义道路。同时，在中国特色社会主义实践和理论创新过程中，创造性地推进了马克思主义哲学的中国化。

　　——马克思主义哲学中国化的进程，就是马克思主义哲学民族化的进程。世界的就是民族的，民族的也是世界的。世界是由不同民族、不同国家组成的，世界是"一般"，民族国家是"特殊"，世界寓于民族国家之中。马克思主义哲学揭示了世界的普遍规律，其世界观、方法论适用于一切民族国家。然而，马克思主义世界观方法论要成为具体民族国家的指导思想，必须与特殊民族国家的国情相结合，实现马克思主义哲学的民族化，即本土化。马克思指出："理论在一个国家实现的程度，总是决定于理论满足这个国家的需要的程度。"[4] 马克思主义哲学及其在实践中的应用必须要结合实际情况，具体问题具体对待。所谓国情，就是特殊民族国家的国情。所谓中国特色，就包含了中华民族的民族特色、包含了中华民族国家的特殊性。马克思主义哲学中国化，也要实现马克思主义哲学的民族化，就是要与中国民族国家的特殊性相结合。推进马克思主义哲学中国化，就要注重中华民族的特殊性，要研究民族的现实需要，继承民族的优秀文化，创造民族的特殊形式，形成民族的特色风格。只有同中国具体民族特性相结合，吸收中华民族文化的优秀思想和优秀表达形式，以中华民族的话语体系表达出来，充分体现中国气派、中国风格和中国特色，具有中华民族的特殊表达形式和丰富的民族文化特性，才是真正中国化的马克思主义哲学。

——马克思主义哲学中国化的进程，就是马克思主义哲学现实化的进程。马克思主义哲学产生于活生生的现实，而马克思主义哲学要保持自身生命力，必须不断地与现实相结合。马克思主义哲学中国化要不断伴随着现实的发展、适应现实的需要而不断丰富发展，这就必须不断地依据现实，开拓新的研究领域，提出新的研究课题，解决新的问题。我国正处于社会主义改革开放和现代化建设的伟大时代，现实提出了大量时代课题需要马克思主义哲学来回答，中国化的马克思主义哲学必须在回答这些重大问题的过程中发展自己、充实自己、丰富自己。

——马克思主义哲学中国化的进程，就是马克思主义哲学大众化的进程。马克思主义哲学本质上就是大众哲学，而不是少数人的哲学。马克思主义哲学大众化的过程也就是马克思主义哲学中国化的过程。首先，马克思主义哲学的基本立场是站在工人阶级及其广大人民的立场上，是实现全人类解放的思想武器，没有大众化，就没有马克思主义哲学，马克思主义哲学是为大众的哲学；其次，人民群众的创造性实践是马克思主义哲学的源泉，没有大众化，也不可能推进马克思主义哲学中国化，马克思主义哲学是来自大众的哲学；最后，马克思主义哲学只有为群众所掌握，才能转变为巨大的物质力量，没有大众化，马克思主义哲学就会被束之高阁，转化不成巨大的实践力量，马克思主义哲学是为大众所用的哲学。

二、自觉站在巨人肩上

马克思主义哲学中国化既不是对马克思主义哲学原理的照抄照搬，也不是单起炉灶另开张。马克思主义哲学中国化的根基在"马克思主义哲学"，发展在于回答中国问题。马克思主义哲学中国化就是在把握马克思主义哲学精髓的基础上，坚持马克思主义哲学的基本立场、观点和方法，运用马克思主义哲学的世界观、方法论解决实际问题，发展马克思主义哲学。

借助马克思主义哲学的"望远镜"和"显微镜"

唐朝诗人王之涣（688—742年）有诗云："欲穷千里目，更上一层楼。"其实，要想看得远、看得真不仅要登高还要有装备。毛泽东在延安时就把马克思主义比作"望远镜"。马克思主义哲学就是观察问题、分析问题的"望远镜"和"显微镜"。望远镜看得远，高瞻远瞩；显微镜观察入微，透现本质。马克思主义哲学"望远镜"和"显微镜"的功能，体现在马克思主义哲学世界观、方法论的功力上。

马克思主义哲学经典著作凝结着马克思主义经典作家的心血和智慧，包含着马克思主义哲学立场、观点、方法，可谓博大精深。可以说，每一部哲学经典著作都是一座金矿，闪耀着人类哲学智慧的光芒，为人们提供科学的理论指导和宝贵的精神滋养。学习马克思主义哲学，全面把握马克思主义哲学各个组成部分之间内在的、有机的联系，深刻理解马克思主义哲学精神实质和思想精髓。学会运用马克思主义哲学立场、观点和方法，仅仅阅读二三手资料是不行的，唯一有效的办法，就是原原本本地精心研读马克思主义哲学经典作家的原著。

1884 年 8 月 13 日，恩格斯在给格奥尔格·亨利希·福尔马尔的信中指出：研究原著本身，"不会让一些简述读物和别的第二手资料引入迷途"[5]。1890 年 9 月，在致约瑟夫·布洛赫的信中，他再次写道："我请您根据原著来研究这个理论，而不要根据第二手的材料来进行研究——这的确要容易得多。……可惜人们往往以为，只要掌握了主要原理——而且还并不总是掌握得正确，那就算已经充分地理解了新理论并且立刻就能够应用它了。在这方面，我不能不责备许多最新的'马克思主义者'，他们也的确造成过惊人的混乱……"[6]1894 年 10 月 4 日，他在为《资本论》第三卷写的序言中指出："一个人如果想研究科学问题，首先要学会按照作者写作的原样去阅读自己要加以利用的著作，并且首先不要读出原著中没有的东西。"⁷

毛泽东一直大力提倡干部要读马列著作。1939年，毛泽东与马列学院的学员谈话时指出："马列主义的书要经常读。《共产党宣言》，我看了不下100遍，遇到问题，我就翻阅马克思的《共产党宣言》，有时只阅读一两段，有时全篇都读，每读一次，我都有新的启发。……读马克思主义理论在于应用，要应用就要经常读，重点读。"⁸延安整风时他说，我们党内要有相当多的干部，每人读一二十本、三四十本马恩列斯的书，我们有这样丰富的经验，有这样长的斗争历史，如果还读了这些马恩列斯的著作，我们党就武装起来了，我们党的水平就大大提高了。1945年，毛泽东在七大上又特别提出要读《共产党宣言》、《社会主义从空想到科学的发展》、《两个策略》、《"左派"幼稚病》和《联共党史》5本马列著作。1949年，在革命即将取得全国胜利的时候，根据毛泽东的提议，党的七届二中全会决定"干部必读"12本马列主义著作。1963年，毛泽东又提出学习30本马列著作的意见。工人阶级政党的导师们关于学习马克思主义经典文献的训诫，理所当然包括学习马克思主义哲学经典。

当然，马克思主义博大精深，卷帙浩繁。《马克思恩格

斯全集》中文第 1 版就有 50 卷,《列宁全集》中文第 2 版也
有 60 卷, 总字数有几千万字, 哲学思想贯穿其中。这是一
般人难以通读的。但站在马克思主义哲学系统化、整体化的
角度来看, 如果只去阅读一两本马克思主义哲学教科书, 是
难以深刻把握马克思主义哲学的丰富内涵和精神实质的。

有人用邓小平"学马列要精, 要管用"[9]的话, 为不读
哲学经典的行为辩护。其实, 邓小平那是针对全党讲的, 既
包括领导干部, 也包括普通干部和群众, 对于自觉担负马克
思主义哲学中国化历史使命的同志, 对于领导伟大的党、伟
大的人民完成伟大事业的同志, 怎么能不去研读哲学经典?
不能把"学马列要精, 要管用"同研读马恩经典著作对立起
来。别忘了邓小平同时还讲过一句话"长篇的东西是少数搞
专业的人读的"[10], 也就是说, 搞哲学研究的人是必须读哲
学大本本的。

更进一步看, 对于中国共产党人来说, 对于坚信马克思
主义的人来说, 读哲学经典, 也是对自己哲学信仰的忠诚、
对主义的致敬、对信念的不懈追求。不读怎么能信, 不读又
怎么去体现信?

牢牢把握实事求是的马克思主义哲学精髓

发展马克思主义首先要搞清楚什么是马克思主义。一百

多年来，马克思主义的实践波澜壮阔，马克思主义的理论博大精深，马克思主义的论断灿若星辰。不同时期、不同国度的"马克思主义者"又对马克思主义有着结合新的时间、地点和条件的新认识，搞清楚什么是马克思主义确实不是一件容易的事情。我们中国共产党人曾经也有一段时间对马克思主义的认识出现过偏差，用邓小平的话讲，就是没有搞清楚什么是马克思主义。但是没有搞清楚就要犯错误，就要吃苦头。

恩格斯强调，"马克思的整个世界观不是教义，而是方法。它提供的不是现成的教条，而是进一步研究的出发点和供这种研究使用的方法。"[11] 马克思主义的具体结论、具体论断、具体原理可以随着时间、空间、地点诸条件的变化而发生变化，可是作为世界观方法论的哲学，因其揭示的是事物发展最一般的规律，而"放之四海而皆准"。学习掌握马克思主义，从根本上来说，首先是学好马克思主义哲学。学好马克思主义哲学，终生受益。对马克思主义哲学不能断章取义、叶公好龙。把握住了马克思主义哲学，也就搞清楚了什么是马克思主义。

邓小平晚年很谦虚地说："我读的书并不多，就是一条，相信毛主席讲的实事求是。过去我们打仗靠这个，现在搞建设、搞改革也靠这个。"[12] 其实这既是大谦虚更是大自信，掌握了实事求是的哲学精髓，还有什么事情做不好？邓小平称自己是"实事求是派"，实在是意味深长。中国共产党人坚持"实事求是"的马克思主义哲学精髓，创造性地把马克思主义的一般原理应用于中国的"具体环境"和"特殊条件"，形成中国化的马克思主义和中国化的马克思主义哲学。

不丢老祖宗，又要说新话

"世易时移，变法宜矣"，顺应时代的变化不断创新，是中国社会一以贯之的传统。早在《易经》中就有"与时偕行"的要求，偕行就是要适应变化的需要而不断说新话，走新路，向前奔。中国共产党人同样是如此。不要以为只有毛泽东说过"不如马克思，不是马克思主义者；等于马克思，不是马克思主义者；只有超过马克思，才是真正的马克思主义者"，后来邓小平同样讲过类似的话："不以新的思想、观点去继承、发展马克思主义，不是真正的马克思主义者。"[13] 怎么理解伟人们的这些话呢？其实就是走中国自己的路，不断地把马克思主义哲学中国化。

决不能把马克思主义哲学看作某种一成不变的和神圣不可侵犯的东西，要防止不思进取的"我注六经"，反对到马克思主义哲学经典著作的字里行间去找什么九鼎之言，更反对用马克思主义哲学经典作家的个别结论教训他人。马克思主义哲学中国化不丢老祖宗，但必须说新话。我们讲超越，不是丢弃，更不是否定，而是站在"巨人的肩上"往前走。只有真正的坚持，才会有真正的超越。

马克思主义哲学中国化是"创造性的马克思主义"哲学，不是"教条式的马克思主义"哲学[14]，更不能是"被修正的马克思主义哲学"。

在 20 世纪初马克思主义进入中国之始，中国共产党人便开始了说新话的过程。马克思主义从来没有设想社会主义革命会在一个落后的农业社会走向成功，所以，"农村包围城市"就是新话，"枪杆子里出政权"更是新话，山沟里的马克思主义不说新话就不可能成为中国需要的、能在中国走向成功的马克思主义。而马克思主义哲学中国化的过程，既是中国共产党人运用马克思主义哲学武装头脑、指导中国实践的过程，更是与中国国情、中国优秀思想文化，包括与中国话语体系相结合，并为中国人民所接受的过程。说新话的过程也就是时代化、中国化、大众化的进程。

三、深深扎根在中国大地

马克思主义哲学中国化要真正在中国大地上生根发芽、

枝繁叶茂，一定要立足中国国情，彰显中国风格，使用中国话语，要能为开辟中国道路、解决中国问题、总结中国经验提供理论支撑与思想保障。离开中国的实际，离开中国的实践谈马克思主义哲学中国化没有任何意义。

立足中国国情

马克思认为，一个社会发展的条件不是人们自己选定的，而是直接碰到的、既定的、从过去继承下来的。人们不可能避开这些因素和这些因素所带来的既定状态。国情就是这样一种因素。一个国家的历史文化、经济状况、发展程度都是不可选择的，都是既定的，甚至是特定的。任何主义、思想、理论如果不与具体的国情相适应，就会水土不服，甚至误国误民。顺应了国情，则不仅理论有大发展，实践更会有大收获。

20世纪30年代，"左"倾教条主义者在中国盲目搞"城市暴动"就是因为在哲学世界观、方法论上脱离了中国国情。毛泽东"农村包围城市"的中国革命正确的战略策略则是由于把马克思主义哲学世界观方法论用于对中国国情的深刻洞察而得出的正确结论。山沟里的马克思主义哲学思维之所以能超过吃洋面包的"钦差大臣"的哲学思维，引导中国革命取得胜利，就是基于对中国国情的深刻哲学认知与自觉哲学顺应。

20世纪70年代末，邓小平坚持四项基本原则，推动改革开放，坚持发展是硬道理，坚持以经济建设为中心，正是在运用马克思主义哲学世界观、方法论深刻把握社会主义初级阶段这一基本国情的基础上作出的重大战略选择。

中国今天远没有走出社会主义初级阶段，这一发展阶段至少要有百年甚至更长时间。但是毕竟经过三十多年的改革发展，当下的中国呈现出一系列与过去很不一样的"阶段性特征"，社会体制深刻变革，社会结构深刻变动，利益格局深刻调整，思想观念深刻变化，经济社会发展面临的主要问题也发生了重大转换。这就要求我们，必须运用马克思主义哲学世界观、方法论不断地与变化了的今日中国国情相结合，作出新判断、新回应与新举措。

解决中国问题

把马克思主义哲学中国化不是为了装点门面，不能变成只是拿在手上的箭，连说"好箭"就是不发射。好箭是用来射特定目标的"的"的。马克思主义哲学中国化就要"有的放矢"，拿"马克思主义哲学"这个"矢"，射中国这个"的"，解决中国问题。

我们要通过马克思主义哲学中国化解决什么问题呢？

一是为实现国家富强、民族复兴的"中国梦"奠定哲学基础。国家不富强，就会被开除"球籍"；民族不复兴，无颜担当龙的传人。我们要在马克思主义中国化理论成果的指导下，让一个曾经饱受异族列强欺侮、目前尚是发展中国家的中国，经济发展、政治昌明、文化繁荣、共同富裕、社会和谐，到 21 世纪中叶成为富强民主文明和谐的社会主义现代化国家巍然屹立在世界东方；让一个能彰显五千年灿烂文化、能传承五千年悠久文明、能把自己的价值观与世界共享、能用自己的软实力促进世界共荣共进的中华民族傲然屹立于世界民族之林。

二是为实现人民富裕、人民当家做主的"中国梦"提供哲学支持。中国社会发展最根本的、也是最高的目标是让中国人民自己当家做主过上更加富裕、更加有尊严的生活，让亿万中国人民能实现每个人的自由全面的发展。我们要在马克思主义中国化理论成果的指导下，充分尊重人民群众的主体地位，充分发挥人民群众主人翁的积极性，让人民群众自己当家做主，实现自己的发展，建设自己的国家。始终注意让中国社会的一切发展都由人民群众主导，由人民群众决定；始终注意让中国社会发展的一切成果，包括物质成果和精神成果都能为人民群众共享。

三是为实现"中国梦"而选择的中国特色社会主义正确

道路作出哲学指南。实现社会主义现代化强国的"中国梦"，必须有一条正确的实现途径，这就是中国人民在党领导下独立自主创造的中国特色社会主义道路。中国共产党人奋斗历史、中国社会主义建设历史、中国特色社会主义伟大实践，雄辩证明这条道路是唯一可行之路，只有通过这条道路才能完成社会主义现代化和中华民族复兴的伟大历史使命。中国特色社会主义理论体系是坚定不移地走这条道路的理论保证，中国化的马克思主义哲学则是最重要的哲学武器。

进行中国创造

马克思主义哲学中国化过程中的中国创造是一个不断深化的过程，也是一个不断深化的行为。总的来说可以用"结合"这一说法来涵盖，但一定要意识到"结合"是内在有机的，是包含不同层次的，是需要不断演进的。

马克思主义哲学与中国实际结合，绝不是马克思主义哲学与中国具体实际的简单机械的"相加"，这并不等于"马克思主义哲学中国化"。更何况"相加"主要是一种外在的行为，捆绑式的"相加"两者并没有真正合到一起，并没有变成一个东西，外力一旦失去便依然你是你、我是我。而"结合"最基本的要求就是相互需要、水乳交融，你中有我、我中有你，进而难分彼此、不分彼此。

从"相加"走向"启蒙教育"是"结合"的真正开始，但这也只是第一步。当然，马克思主义哲学与中国实际的结合，首先是马克思主义哲学要为中国人民所接受。这就需要用马克思主义哲学来"启蒙教育"中国人民，武装中国人民的头脑。这一阶段很重要，但这一阶段不是全部，也不能成为全部。20 世纪早期中国共产党在革命中的很多失误与挫折，皆是"启蒙教育"传播过程中马克思主义哲学被教条化而导致的。"启蒙教育"在让中国社会了解马克思主义哲学、接受马克思主义哲学并且认可马克思主义哲学权威方面确实有大功，但是当仅仅满足于做马克思主义的"传声筒"，在这种状态下止步不前的时候，就出问题了，并且是大问题。

马克思主义哲学中国化的"化"的工作，最终一定要体现在马克思主义哲学中国化新形态的创立中，一定要实现实质性飞跃，从两个相关对象创造性地整合成为"一个有机的整体"，一个在内容和形式上真正体现"中国特色、中国风格、中国气派的马克思主义哲学"新形态。要达到这个目标，就一定还要有一个马克思主义哲学自身被"化"、被中国"化"的过程。马克思主义哲学"化"中国与马克思主义哲学被中国"化"有机结合起来，才是真正的马克思主义哲学中国化。

我们要依据马克思主义哲学的真精神，以发展和创新为

核心，把中国革命、中国建设、中国改革、中国发展的实践
中形成的思想观念、思维方式、价值取向、道德理念、气势
境界等等，从具体的实践形态总结、提炼为抽象的理论形态，
"创造建设"出马克思主义哲学中国化的新形态。这不仅是中
国哲学发展的需要，这也是批判的革命的马克思主义哲学本
身发展的内在要求，是马克思主义哲学强大生命力之所在。

彰显中国风格

　　既然是马克思主义哲学中国化，就一定要有中国的形
式、中国的风格、中国的特点、中国的气派、中国的语言，
概言之，要有"中国味"。这中国味，就是几千年来积淀在
中华民族生命和血液中的中国情感、中国意志、中国愿望、
中国思维、中国话语等等，概括来讲，就是中国文化的精、
气、神。我们不可能离开自己国家与民族的优秀文化和传统
去进行马克思主义哲学中国化的工作。

　　对于在马克思主义哲学中国化过程中彰显中国风格，毛
泽东有段话讲得十分到位："马克思主义必须和我国的具体
特点相结合并通过一定的民族形式才能实现。……离开中国
特点来谈马克思主义，只是抽象的空洞的马克思主义。因
此，使马克思主义在中国具体化，使之在其每一表现中带着
必须有的中国的特性，即是说，按照中国的特点去应用它，

成为全党亟待了解并亟须解决的问题。洋八股必须废止，空洞抽象的调头必须少唱，教条主义必须休息，而代之以新鲜活泼的、为中国老百姓所喜闻乐见的中国作风和中国气派。"¹⁵我们现在有些同志在理论创新中特别喜欢引进"洋概念"，捣鼓"洋名词"，显摆"洋教条"，不仅百无一用还令群众生厌，其实是离开了中国实践，丢掉了中国风格。

对于马克思主义哲学中国化来说，中国风格主要属于形式方面的范畴，但这一形式直接制约着马克思主义哲学内容在中国的充分实现与有效发扬。因而，中国风格之于马克思主义哲学中国化同时又具有了内容的属性，对这一点要有足够的认识。

四、实现中国化的伟大飞跃

只从马克思主义哲学那里拿来只言片语、个别结论，就算确实是"一句顶一万句"也是完全不行的。更何况宏大的实践需要系统的理论来指导，马克思主义哲学中国化只有成为了科学系统的理论才能指导中国革命建设和改革发展的伟大实践。毛泽东指出："任何国家的共产党，任何国家的思想界，都要创造新的理论，写出新的著作，产生自己的理论家，来为当前的政治服务，单靠老祖宗是不行的。"¹⁶中国共产党高度重视哲学社会科学的建设与创新。**九十多年来，中国共产党人在把马克思主义哲学与中国实际相结合形成哲学理论指导方面实现了两大飞跃。**第一个飞跃是创造了马克思主义哲学与中国实际相结合的第一个哲学形态——毛泽东哲学思想；第二个飞跃就是在毛泽东哲学思想基础上，形成了中国特色社会主义理论体系的哲学思想，这是马克思主义哲学中国化最新成果的第二个哲学形态。经过几代中国共产党人和理论工作者的共同努力，不断推进和创新马克思主义哲学中国化，使马克思主义哲学在东方的中国扎下根来，发展起来。

毛泽东哲学思想是马克思主义哲学中国化的第一个成熟的理论形态。

毛泽东哲学思想形成于革命战争实践，在社会主义建设的探索实践中得到丰富和充实。毛泽东哲学思想实现了马克思主义哲学中国化，丰富了马克思主义哲学的理论内容和表现形式，使马克思主义哲学在中国生根发芽枝繁叶茂，为中国人民所接受，转化成巨大的革命力量和建设力量。

毛泽东哲学思想集中体现在毛泽东的《反对本本主义》《矛盾论》《实践论》《论持久战》《论十大关系》《关于正确处理人民内部矛盾的问题》《人的正确思想是从哪里来的》《学习马克思主义的认识论和辩证法》等著作中。大致举要如下：

——"实事求是"是对中国化的马克思主义哲学精髓的科学抽象。毛泽东从马克思主义哲学世界观和方法论的高度，用中国传统哲学特有的方式和语言，把马克思主义哲学最基本的实践观点和马克思主义认识论加以中国化，概括为"实事求是"，形成中国共产党思想路线的核心。这是毛泽东哲学思想的精髓和根本点，是毛泽东对马克思主义哲学中国化的最突出、最重要的贡献。

——"矛盾论"是对中国化的马克思主义哲学唯物辩证法的高度概括。毛泽东用极富个性色彩的语言表述了在唯物辩证法上的新认识。他全面论述了对立统一学说，概括为"矛盾论"，在对矛盾斗争性和统一性、矛盾普遍性和特殊性、主要矛盾和矛盾主要方面等内容的论述方面有了质的新飞跃，对马克思主义哲学辩证法作出了重大贡献。毛泽东从哲学高度总结自然科学的新发展、新成果，运用对立统一的观点着重指出物质的内部矛盾性和物质无限可分性，深化了自然辩证法思想；对社会主义社会矛盾进行了科学分析，提出了社会主义基本矛盾、主要矛盾和人民内部矛盾新思想。

——"实践论"是对中国化的马克思主义哲学认识论的理论升华。毛泽东以马克思主义实践观点为基础，以认识和实践的辩证统一为中心，系统地论述了辩证唯物主义能动的革命的反映论。毛泽东将认识过程概括为由实践到认识和由认识到实践的两个飞跃过程，并且突出强调后一飞跃的重要意义，"通过实践而发现真理，又通过实践而证实真理和发展真理"[17]，突出了马克思主义认识论的能动性。毛泽东从哲学的认识论性质和认识论功能的高度，强调唯物主义认识论、辩证法、历史观三者"一体化"，实现马克思主义普遍原理同本国革命具体实践相结合，充分发挥马克思主义哲学的社会实践功能。1963年5月，毛泽东在杭州会议上的讲话中说：唯物论、唯心论、世界观、辩证法，都是讲的认识论。1964年8月，他在《关于坂田文章的谈话》中把这一思想作了进一步的概括，精辟地指出：什么叫哲学？哲学就是认识论，不是别的。

——"群众观"是对中国化的马克思主义哲学历史观的精辟浓缩。毛泽东把历史唯物主义关于人民群众是历史的创造者的原理系统地运用在中国共产党的全部活动中，形成了思想方法和工作方法的群众观点，形成了党的群众路线，形成了一切从人民利益出发的根本宗旨，构成了毛泽东思想活的灵魂的三个基本方面之一。毛泽东把马克思主义哲学唯物史观精辟地概括为"一切依靠群众，一切为了群众""从群众中来，到群众中去""为人民服务""为人民谋利益"等基本观点。毛泽东强调指出：共产党必须一切为了群众，一切依靠群众;要取得正确的领导意见,必须坚持从群众中来,到群众中去;人民所需要的东西的总和就是政策,"任何一种东西,必须能使人民群众得到真实的利益,才是好的东西。"[18]

——"哲学大众化"是对中国化的马克思主义哲学普及工作的深刻总结。毛泽东大力倡导并且毕生致力于哲学的解放事业,强调哲学群众化,主张普及哲学。"让哲学从哲学家的课堂上和书本里解放出来,变为群众手里的尖锐武器。"[19] 延安时期的新哲学运动,当年吸引了众多人参加的工农兵学哲学,以及改革开放新时期实践是检验真理的唯一标准的大讨论等,在革命、建设和改革不同历史时期的中国社会形成一道亮丽的风景线。这些思想和行为极大地提高了中国共产党的理论思维能力。

中国特色社会主义理论体系的哲学思想是马克思主义哲学中国化的第二个创新的理论形态。

中国特色社会主义理论体系包括邓小平理论、"三个代表"重要思想、科学发展观以及习近平系列重要讲话精神等,中国特色社会主义理论体系的哲学思想贯穿其中。中国特色社会主义理论体系的哲学思想以"解放思想,实事求是,与时俱进,求真务实"的思想路线为核心,以回答"建设什么样的社会主义、怎样建设社会主义,建设什么样的

党、怎样建设党，实现什么样的发展、怎样发展"等一系列
重大问题为着眼点，进一步发展了马克思主义哲学唯物论、
认识论、辩证法、历史观和自然观。

　　——"解放思想，实事求是"是中国特色社会主义理论
体系哲学思想的精髓。邓小平说："首先是解放思想。只有思
想解放了，我们才能正确地以马列主义、毛泽东思想为指导，
解决过去遗留的问题，解决新出现的一系列问题"。[20] 解放
思想要从教条主义的精神枷锁中解脱出来，放弃僵化、片
面、凝固的思想观念；解放思想既看到"变"，又看到"不
变"，既看到"必须变"，又看到"不能变"。邓小平指出：
"解放思想，就是使思想和实际相符合，使主观和客观相符
合，就是实事求是。"[21] 这一论断科学地阐述了解放思想与
实事求是的辩证统一关系。

　　解放思想体现在顺应时代发展上，就是"与时俱进，求
真务实"。"与时俱进，求真务实"就是理论和实践要体现时
代性，把握规律性，富于创造性。做到自觉地把思想认识
从那些不合时宜的观念、做法和体制的束缚中解放出来，
从对马克思主义的错误的和教条式的理解中解放出来，从
主观主义和形而上学的桎梏中解放出来，以马克思主义的
理论勇气及时总结实践的新经验，大胆借鉴人类文明的有
益成果，在理论上不断拓展新视野，作出新概括。以我们

正在做的事情为中心，一切都着眼于马克思主义理论的运用，着眼于提高对实际问题的理论思考，着眼于新的实践和新的发展。

——中国特色社会主义理论体系的哲学思想还包括一系列重大哲学创新思想。譬如，"照辩证法办事"、"两手抓，两手都要硬"、"三个有利于"判断标准、"社会主义本质就是发展生产力和共同富裕"、"市场经济不等于资本主义，社会主义也有市场"、"改革是社会主义发展的强大动力"、"代表中国先进生产力发展方向、代表中国先进文化的前进方向、代表中国最广大人民的根本利益"、"实现以人为本、全面协调可持续发展"、"人与自然和谐相处"等。

在这里，要特别指出的是，虽然中国特色社会主义理论体系的哲学思想很丰富，也有很多的突破与创新，丰富和发展了马克思主义哲学思想、丰富和发展了毛泽东哲学思想，但毕竟中国特色社会主义理论体系尚未完成，是正在进行时。中国特色社会主义实践在不断探索发展过程中，中国特色社会主义理论体系也要不断往前走、不断深化、不断完善。所以马克思主义哲学中国化并没有停止、也不能停止。在中国特色社会主义伟大实践不断前行的过程中，继续丰富和发展中国特色社会主义理论体系的哲学思想是每一个哲学理论工作者的责任与使命。

五、真正成为大众的思想武器

马克思主义哲学具有代表工人阶级和最广大人民根本利益的理论品质，这就决定了它必须同人民群众相结合，为人民群众所理解、掌握。马克思主义哲学中国化的进程就是马克思主义哲学大众化的进程，人民群众的实践活动是马克思主义哲学中国化的深厚源泉和基础，中国化的马克思主义哲学是中国共产党和中国人民集体智慧的结晶。

启蒙大众，让群众真学

启蒙，究其本意来说就是告知人们新思想，改变人们旧观念。人的思想是最活跃的，但人的思想也是最保守的。人一旦接受了某一种思想、形成某一种观念，就会不自觉地把它当作理所当然的东西而坚守，并且在这些思想和观念的影响下行动，尽管这些思想和观念其实对他是很不利的、甚至是有害的，但他并不知觉。古希腊大哲学家柏拉图在《理想国》中讲的"洞穴影像"就是对这种现象的经典阐述。

恩格斯曾经讲过："一切都必须在理性的法庭面前为自己的存在作辩护或者放弃存在的权利。思维着的知性成了衡量一切的唯一尺度。……只是现在阳光才照射出来，理性的王国才开始出现。从今以后，迷信、非正义、特权和压迫，必将为永恒的真理、永恒的正义、基于自然的平等和不可剥夺的人权所取代。"22 恩格斯这段话虽然是针对18世纪的启蒙运动，那是在特定历史条件下发生于欧洲的社会、思想、文化和哲学运动，但对于今日中国社会同样有振聋发聩的作用。马克思主义哲学中国化一个首要任务就是告诉社会大众他们的力量与他们的权利，让社会大众在学习哲学的过程中发现自己的力量，觉醒自己的权利。

属于大众，让群众真懂

马克思主义哲学本质上是属于大众的哲学，而不是少数人拥有的哲学。马克思主义哲学中国化一定要让群众真懂。

"体系"是理论完备性的一种标志，但体系也只能是在理论领域的表述。理论要想进入实践领域就必须要有实践的形态。属于大众的理论一定应该是简单、清晰、明了的，为群众所欣然接受，为群众所真心信服，为群众所真正理解。为群众所懂得的哲学恰恰是理论生命力最强盛的标志、最有作为的标志、最能发挥作用的标志。要加强对马克思主义哲学中国化理论成果的宣传，清楚明白地阐述马克思主义哲学中国化的基本立场、根本原则、共同理想与奋斗目标，清楚明白地解答群众来自实践、来自生活的困惑与疑虑，让广大群众切实认识到马克思主义哲学中国化理论成果是保障他们权利、实现他们利益、促进他们发展的锐利武器，而不是相反。

为了大众，让群众真信

马克思主义哲学根本指向是为了大众的哲学，而不是为了少数人的哲学。马克思主义哲学中国化首先要让群众真信。相信才会去理解，理解才可能掌握，掌握才能去运用。要让马克思主义哲学中国化的理论成果更好地解决人民群众最关心最直接最现实的利益，更好地代表人民群众的根本利益和长远利益。

共产主义不是要让所有人都变成无产阶级，而是要通过创造社会发展的环境和条件让每一个人都能得到全面发展，是要通过消灭资产阶级的同时消灭无产阶级来实现无产阶级的整体解放。这也就是为什么恩格斯强调共产主义社会最根本的特征就是："每个人的自由发展是一切人的自由发展的条件"[23]。人类社会的发展从来都要着眼于人类的全体，而不能只是考虑部分人、少部分人。对中国共产党来说，中国社会的发展从来就是全体中国人民，是中国疆域的全部，不能是一部分人，不能是一部分地区。

当一切发展依靠人民，一切发展为了人民，与人民群众共命运等等这些马克思主义中国化的基本理论要求成为在中国社会中每时每刻都在发生的真实事情，群众就会相信它是自己的武器，群众就愿意拿它来做自己的武器。

走向大众，让群众真用

没有大众化，马克思主义哲学就会被束之高阁，不能转化为巨大的实践力量，马克思主义哲学是为大众所用的哲学。马克思主义中国化的理论成果要从书本里、文件中、会议上走出来，走进群众火热的生活、走向中国蓬勃的实践，以简明的内容、通俗的形式、大众的思维、普及的方式让群众能掌握，会运用。

马克思主义哲学理论一旦被群众掌握就会转变为巨大的物质力量。马克思主义哲学中国化的进程，就是马克思主义哲学大众化的进程。要努力让自己走向人民群众，为广大群众所认知、所接受、所实践，这样才能成为人民群众的思想武器，才能把人民群众作为自己的物质武器。

当然，就马克思主义哲学大众化来说，学、懂、信、用是一体的，不能截然分开，也是分不开的。从过程看，似乎是学了才会信，但就逻辑上讲，只有信才会去真学；从程序上看，懂了才能用，但就认识规律来看，只有实践了才会真懂，认识就是在实践中进一步提高的。当社会大众把学、懂、信、用有机统一于他们的生活与实践中的时候，马克思主义哲学也就实现了真正的大众化。

结　语

随着时代的转换、实践的深化，马克思主义哲学中国化必然要增添新的内涵，以新的理论观点、体系建构、表现方式满足时代的要求和实践的需要。只要我们科学地运用马克思主义的立场、观点和方法，以我国改革开放和现代化建设的实际问题、以我们正在做的事情为中心，善于总结实践经验，重视探索新的实践，我们就一定能够在坚持马克思主义基本原理前提下，不断实现马克思主义哲学中国化的创新，不断开辟马克思主义哲学中国化的新境界。

马克思主义哲学中国化是一个永无止境的过程。

注　释

1　王任重：《实事求是的典范——纪念毛泽东诞辰 85 周年》，载马社香编：《韶山档案》，中央文献出版社 2001 年版，第 131 页。

2 《建国以来毛泽东文稿》第七卷，中央文献出版社 1992 年版，第 206 页。

3 《马克思恩格斯全集》第 3 卷，人民出版社 1960 年版，第 544 页。

4 《马克思恩格斯文集》第 1 卷，人民出版社 2009 年版，第 12 页。

5 《马克思恩格斯全集》第 36 卷，人民出版社 1974 年版，第 200 页。

6 《马克思恩格斯文集》第 10 卷，人民出版社 2009 年版，第 593—594 页。

7 《马克思恩格斯文集》第 7 卷，人民出版社 2009 年版，第 26 页。

8 《毛泽东读书笔记解析》上册，广东人民出版社 1996 年版，第 242—243 页。

9 《邓小平文选》第三卷，人民出版社 1993 年版，第 382 页。

10 《邓小平文选》第三卷，人民出版社 1993 年版，第 382 页。

11 《马克思恩格斯文集》第 10 卷，人民出版社 2009 年版，第 691 页。

12 《邓小平文选》第三卷，人民出版社 1993 年版，第 382 页。

13 《邓小平文选》第三卷，人民出版社 1993 年版，第 292 页。

14 《毛泽东文集》第二卷，人民出版社 1993 年版，第 373 页。

15 《毛泽东选集》第二卷，人民出版社 1991 年版，第 534 页。

16 《毛泽东文集》第八卷，人民出版社 1999 年版，第 109 页。

17 《毛泽东文集》第一卷，人民出版社 1991 年版，第 296 页。

18 《毛泽东文集》第三卷，人民出版社 1991 年版，第 864 页。

19 《毛泽东文集》第八卷，人民出版社 1999 年版，第 323 页。

20 《邓小平文选》第二卷，人民出版社 1994 年版，第 141 页。

21 《邓小平文选》第二卷，人民出版社 1994 年版，第 364 页。

22 《马克思恩格斯文集》第 3 卷，人民出版社 2009 年版，第 523—524 页。

23 《马克思恩格斯文集》第 2 卷，人民出版社 2009 年版，第 53 页。

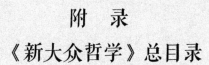

附 录
《新大众哲学》总目录

学好哲学　终生受用

──总论篇

插上哲学的翅膀，飞向自由的王国

　　──哲学导论

　　一、为什么学哲学

　　二、哲学是什么

　　三、哲学的前世今生

　　四、哲学的左邻右舍

　　五、怎样学哲学用哲学

　　结　语

与时偕行的哲学

　　──马克思主义哲学

　　一、以科学赢得尊重

　　二、以立场获得力量

　　三、用实践实现革命

　　四、因创新引领时代

　　结　语

立足中国实际"说新话"

　　──马克思主义哲学中国化

一、繁荣发展的必经之路

二、自觉站在巨人肩上

三、深深扎根在中国大地

四、实现中国化的伟大飞跃

五、真正成为大众的思想武器

结　语

反对主观唯心主义

——唯物论篇

坚持唯物论，反对唯心论

　　——唯物论总论

　　一、全部哲学的最高问题

　　　　——关于思维与存在关系问题的大讨论

　　二、哲学上的基本派别

　　　　——南朝齐梁时期的一场形神关系论辩

　　三、坚持唯物论，反对唯心论

　　　　——失散多年的"孩子"终于找回来了

　　结　语

世界统一于物质

　　——物质论

一、世界是物质的

　　——物质消失了吗

二、物质是运动的

　　——坐地日行八万里，巡天遥看一千河

三、时空是物质运动的基本形式

　　——时空穿越可能吗

四、运动是有规律的

　　——诸葛亮为什么能借来东风

结　语

意识是存在的反映

　　——意识论

一、意识是物质世界长期发展的产物

　　——动物具有"高超智能"吗

二、意识是人脑的机能

　　——"人机大战"说明了什么

三、意识是客观存在在人脑中的反映

　　——意识的"加工厂"和"原材料"

四、意识是社会意识

　　——关于"狼孩"的故事

五、意识具有能动作用

　　——"大众哲人"艾思奇与《大众哲学》

六、坚持主流意识形态的引领作用

　　——福山的"意识形态终结论"

结 语

实现人与自然的和谐发展
　　——自然观
一、自然观问题的重新提出
　　——"美丽的香格里拉"
二、自然观的历史演变
　　——泰勒斯与"万物的起源是水"
三、马克思主义自然观
　　——笛福与《鲁滨逊漂流记》
四、实现人与自然和谐发展
　　——温室效应和"哥本哈根会议"
结 语

信息化的世界和世界的信息化
　　——信息论
一、信息的功能与特点
　　——"情报拯救了以色列"
二、信息既源于物质但又不等于物质
　　——"焚书坑儒"罪莫大焉
三、信息与意识既有联系又有区别
　　——"蜻蜓低飞"是要告诉人们"天要下雨"的信息吗
四、信息与人的实践活动
　　——虚拟实践也是一种实践活动吗

五、网络社会不过是现实社会的延伸和反映

　　——虚拟时空并不虚无

结　语

照辩证法办事
——辩证法篇

用辩证法看问题
　　——辩证法总论

一、揭示事物最普遍规律的科学

　　——老子《道德经》与辩证思维方式

二、世界是普遍联系的

　　——世界金融危机与全面的观点

三、一切事物都是运动、变化和发展的

　　——赫拉克利特"一切皆流"说与发展的观点

四、事物往往是作为系统而存在、变化的

　　——都江堰、阿波罗登月与系统的观点

五、事物总是作为过程而存在、发展的

　　——曹操《龟虽寿》与过程的观点

结　语

学会矛盾分析方法
　　——对立统一规律

一、矛盾规律是事物存在和发展的根本法则

　　——《周易》和阴阳两极对立统一说

二、矛盾的普遍性与特殊性是统一的

　　——具体地分析具体的矛盾

三、矛盾双方既统一又斗争

　　——杨献珍与"一分为二""合二而一"的争论

四、矛盾是事物变化发展的根本原因

　　——没有"好"矛盾与"坏"矛盾之分

五、善于集中力量解决主要矛盾

　　——人民军队克敌制胜的战略策略

六、矛盾的精髓

　　——公孙龙《白马论》的"离合"辩

结　语

要把握适度原则

　　——质量互变规律

一、既要认识事物的量与质，更要研究事物的度

　　——汽会变水、水又会变冰

二、认识质量互变规律，促进事物质的飞跃

　　——达尔文"进化论"、斯宾塞"庸俗进化论"与居维叶"突变论"

三、把握总的量变过程中的部分质变

　　——关于中国特色社会主义所处时代和历史方位的科学判断

四、要研究质量互变的特殊性

　　——事物质变的爆发式飞跃和非爆发式飞跃

结　语

新事物终究战胜旧事物
　　——*否定之否定规律*
一、坚持辩证的否定观
　　——胚对胚乳的否定、麦株对麦种的否定
二、否定之否定规律是客观的、普遍的
　　——毛泽东妙论飞机起飞、飞行和降落
三、新生事物是不可战胜的
　　——纵观一个半世纪以来的世界历史进程
四、要研究否定之否定的特殊性和多样性
　　——防止千篇一律与"一刀切"
结　语

用系统的观点看世界
　　——*系统论*
一、用整体观认识问题
　　——整体不等于部分的总和
二、以结构观点观察系统
　　——结构决定功能
三、从层次性出发分析事物
　　——山外有山，天外有天
四、凭开放的眼光看世界
　　——开放导致有序，封闭导致无序

结　语

把握事物联系与发展的基本环节

　　——唯物辩证法的重要范畴

一、反对形式主义

　　——从文山会海看内容与形式

二、透过现象看本质

　　——怎样练就"火眼金睛"

三、善于认识原因与结果的辩证关系

　　——话说蝴蝶效应与彩票中奖

四、通过偶然性把握必然性

　　——"杂交水稻之父"袁隆平的成功

五、可能在一定条件下可以转化为现实

　　——"中国梦"与"中国向何处去"

结　语

认识世界的目的在于改造世界

　　——认识论篇

从实践到认识，又从认识到实践

　　——认识论总论

一、实践是认识论首要的基本观点

　　——纸上谈兵，亡身祸国

二、人类认识的两个飞跃

　　——从化学元素周期表的诞生看人的认识过程

三、人类认识是循环往复以至无穷的

　　——认识过程"不是涅瓦大街的人行道"

四、真理是一个发展过程

　　——黑天鹅的启示

五、认识世界是为了改造世界

　　——不同于一切旧哲学的根本特点

结　语

由个别到一般，再由一般到个别

　　——认识的秩序和过程

一、人类认识的个别与一般

　　——关于马克思主义中国化

二、由认识个别到认识一般

　　——从小孩喊第一声"妈妈"说起

三、由认识一般再到认识个别

　　——谈谈理论的指导作用

四、认识个别与认识一般相结合

　　——"个别"与"一般"相结合的生动体现

结　语

从群众中来，到群众中去

　　——党的根本认识路线

一、一切真知灼见来自人民群众实践

　　——小岗村率先实行联产承包责任制的启示

二、"从群众中来，到群众中去"是马克思主义认识论

　　——从"摸着石头过河"到"顶层设计"

三、先当群众的学生，后当群众的先生

　　——毛泽东一生三次重大调研活动

四、善于把党的理论路线化为群众行动

　　——怎样回答党校学员的一个问题

五、坚持领导与群众相结合，以获取正确的认识

　　——既不搞命令主义，也不搞尾巴主义

　　结　语

物质变精神，精神变物质

　　——马克思主义认识论的新表述

一、马克思主义认识论新的简明概括

　　——从马克思主义的形成及其伟大作用看"两变"思想

二、"物质变精神，精神变物质"需要一定的条件

　　——李贺诗句"少年心事当拏云，谁念幽寒坐呜呃"

三、在改造客观世界的过程中改造主观世界

　　——"打铁还需自身硬，绣花要得手绵巧"

　　结　语

实事求是思想路线

　　——兴衰成败的决定性因素

一、实事求是是中国经验的哲学总结

　　——从"修学好古，实事求是"到延安中央党校校训

二、只有解放思想，才能实事求是

　　——实践是检验真理的唯一标准大讨论

三、与时俱进是马克思主义认识论的理论品格

　　——《易传》"损益盈虚，与时偕行"思想

四、求真务实是马克思主义认识论的要义

　　——"空谈误国，实干兴邦"的历史教训

结　语

人类思想史上的新历史观
——历史观篇

关于现实的人及其历史发展的科学

　　——历史观总论

一、第一个伟大发现

　　——拨开社会历史的迷雾

二、旧历史观的根本缺陷

　　——罗素悖论与旧历史观的认识难题

三、社会历史观的基本问题

　　——从"灵魂不死"说起

四、社会生活在本质上是实践的

　　——解开人类历史奥秘的金钥匙

五、自原始公社解体以来的人类历史都是阶级斗争的历史

　　——毛泽东与梁漱溟的一场争论

六、科学说明社会历史现象的根本方法

　　——授人以鱼不如授人以渔

结　语

不以人的意志为转移的社会发展规律

　　——**历史决定论**

一、社会发展是一个自然历史过程

　　——"逻各斯"与社会规律

二、不断从低级向高级发展的"社会有机体"

　　——《小蝌蚪找妈妈》的故事

三、人类社会发展"最后动力的动力"

　　——强大的古罗马帝国为什么衰亡了

四、历史发展的"合力"作用

　　——黑格尔的"理性的狡计"

五、正确认识和处理社会主义社会矛盾

　　——从波匈事件看社会主义社会矛盾问题

结　语

做历史发展的促进派

　　——**历史选择论**

一、历史不过是追求着自己目的的人的活动而已

　　——风云际会的近代中国

二、在尊重客观规律的前提下，发挥人的历史选择性

　　——"人有多大胆，地有多大产"错在哪里

三、只有社会主义才能救中国，只有中国特色社会主义

　　才能发展中国

　　——中国人民唯一正确的历史选择

结　语

一切从人民利益出发

　　——利益论

一、利益牵动每一个人的神经

　　——关于司马迁的利益观

二、物质利益是人类最基本的、首要的利益

　　——古希腊女神厄里斯的"引起纷争的金苹果"

三、利益实质是一种社会关系

　　——马克思在《莱茵报》时期遇到的利益难题

四、人类发展史就是利益矛盾及其解决的历史

　　——从法国大革命看利益矛盾的历史作用

五、要树立马克思主义利益观

　　——共产党人怎样对待利益问题

结　语

人民群众是历史的真正创造者

　　——群众观

一、民众是推动历史进步的主导力量

　　—— 一位历史学家的"质疑"

二、民心是天下兴亡的晴雨表

　　——民谣《你是一个坏东西》在国统区的流行说明了什么

三、民主是打破历史周期率的利器

　　——黄炎培对毛泽东的耿耿诤言

四、民生是高于一切的人民的根本利益

　　——从民谣《老天爷》到"必须给人民以看得见的物质福利"

结　语

人的精神家园
——价值论篇

深刻洞悉价值世界的奥秘
——价值论总论

一、究竟什么是价值

　　——伊索寓言中"好坏"是什么意思

二、价值世界是丰富多彩的

　　——说不尽的《红楼梦》的价值

三、个人价值与社会价值的统一

　　——大学生张华救掏粪老农值不值

四、具体的价值"因人而异"

　　——千面观音，随缘自化

五、反对主观主义和相对主义价值观

　　——庄子的"齐万物""等贵贱"

结　语

合理地进行价值评价

　　——价值评价

一、价值评价的客观基础和主观因素

　　——何以会"情人眼里出西施"

二、价值评价有赖于评价标准

　　——是"最好的演员"还是"最坏的演员"

三、"值"与"不值"自有"公论"

　　——"公说公有理，婆说婆有理，天下无公理"

四、实践是检验评价合理性的最高标准

　　——"黄猫、黑猫，只要捉住老鼠就是好猫"

结　语

用我们的双手创造美好的世界

　　——价值选择和价值创造

一、不同的选择成就不同的人生

　　——萨特的名剧与人生的二难选择

二、价值创造与价值实现

　　——"梨子的味道好不好，你得亲口尝一尝"

三、做动机和效果统一论者

　　——好心为什么会办坏事

四、目的制约手段，手段服务目的

　　——目的纯正就可以不择手段吗

五、降低代价，创造最大的价值

　　——"塞翁失马，焉知非福"

六、坚持真理原则与价值原则的统一

　　——最蹩脚的建筑师也比最灵巧的蜜蜂高明

结　语

用正确的价值观规范人们的言行

　——马克思主义价值观

一、价值观的力量

　　——一个普通驾驶员的精神世界

二、价值观的相对稳定性和流变性

　　——"观念一变天地宽"

三、立足多样化，弘扬主旋律

　　——"一花独放不是春，百花齐放春满园"

四、坚持法治与德治相结合

　　——对突破"道德底线"的恶行说"不"

五、西方的"普适价值"并不"普适"

　　——"枪炮声不是人类的'普适音乐'"

六、构建社会主义核心价值观

　　——塑造中华民族共有精神家园

结　语

荡起幸福人生的双桨

——人生观篇

什么是人生观

　　——人生观总论

　一、人是什么

　　　——法国"五月风暴"与萨特的存在主义

　二、生从何来

　　　——人是上帝创造的吗

　三、死归何处

　　　——"生的伟大，死的光荣"

　四、应做何事

　　　——钢铁是怎样炼成的

　五、人生观是指导人生的开关

　　　——从"斯芬克斯之谜"说起

　结　语

人生的航标和灯塔

　　——马克思主义人生观

　一、马克思主义人生观是科学的人生观

　　　——雷锋精神对我们的启示

二、马克思主义世界观与人生观

　　——"砍头不要紧，只要主义真"

三、共产主义理想是最美好的人生追求

　　——"毫不利己，专门利人"的白求恩精神

四、以人的自由全面发展为宗旨

　　——马克思和"自由人联合体"

结　语

穿过迷雾寻找光明

　　——种种人生问题的正确解读

一、马克思主义金钱观

　　——"守财奴"与"金钱拜物教"

二、马克思主义权力观

　　——焦裕禄精神永放光芒

三、马克思主义事业观

　　——"警界女神警"任长霞的公安事业

四、马克思主义婚恋观

　　——"下辈子我还嫁给你"

结　语

为人类幸福献出自己的一生

　　——马克思主义幸福观

一、什么是幸福

　　——从"幸福指数"谈起

二、幸福总是随财富的增长而增长吗
　　——抬轿子的人未必不幸福
三、个人幸福和社会幸福的统一
　　——从少年马克思的中学作文说起
四、幸福不会从天降
　　——哲学家苏格拉底论幸福
结　语

新大众哲学

后记

2010 年 7 月 4 日，中国社会科学院院长王伟光教授（时任常务副院长）主持召开了《新大众哲学》编写工作第一次会议，传达了中共中央宣传部关于编写《新大众哲学》课题立项的决定，正式启动了这一重大科研任务。在启动会议上，成立了依托中国辩证唯物主义研究会、以中国社会科学院与中共中央党校的专家学者为主的编写组，由王伟光教授任主编，李景源、庞元正、李晓兵、孙伟平、毛卫平、冯鹏志、郝永平、杨信礼、辛鸣、周业兵、王磊、陈界亭、曾祥富等为编写组成员。

从 2010 年 7 月初到 8 月底，编写组成员认真走访了资深专家学者。对京内专家，采取登门拜访的形式；对京外学者，则采取函询的方式。韩树英、邢贲思、杨春贵、汝信、赵凤岐、黄楠森、袁贵仁、陶德麟、侯树栋、许志功、陈先达、陈晏清、张绪文、宋惠昌、沈冲、卢俊忠、卢国英、王丹一、赵光武、赵家祥等充分肯定了编写《新大众哲学》的重要意义，提出了有价值的建议（其中一部分书面建议已经安排在《马克思主义哲学论丛》上分期刊发了）。编写组专门召开会议，对各位专家提出的意见和建议进行了充分讨论，认真吸取各位专家的建言。

编写组认真提炼和归纳了马克思主义哲学关注并需要回答的 300 个当代重大理论与现实问题。从 2010 年 7 月 31 日到 11 月底，编写组对这些问题进行了反复研讨和精心梳理。经过充分讨论，编写组把《新大众哲学》归纳为总论、唯物论、辩证法、认识论、历史观、价值论和人生观七个分篇，拟定了研究写作提纲，制订了统一规范的写作体例。

《新大众哲学》编写组成员领到写作任务后，自主安排学习、研究与写作。全组隔周安排一次研讨会，对提交的文稿逐一进行研究讨论。在王伟光教授的带动下，这种日常性的集中讨论在三年多的时间里一直得到了严格坚持，从 2010 年 7 月启动到 2013 年 10 月已持续了 80 次，每次都形成了会议纪要。写出初稿后，还安排了 3 次集中讨论，每次集中 3 天时间。这些内容都体现在《新大众哲学》的副产品《梅花香自苦寒来——新大众哲学编写资料集》中。

主编王伟光教授在公务相当繁忙的情况下，一直亲自主持双周讨论会，即使国外出访或国内出差也想办法补上。他在白天事务缠身的情况下，经常在夜间加班，或从晚上工作到凌晨 2 点，或从清晨 4 点开始工作。他亲自针对问题拟定了写作提纲，审改了每份初稿，甚至对相当多的稿件重新写作，保证了书稿的质量与风格。可以说，在编写《新大众哲学》的过程中，他投入了最多的精力，奉献了最多的智慧。

经过三年多的努力，大部分稿件已基本成稿。为统一写作风格并达到目标要求，王伟光教授主持了五次集中修订书稿。每一次修改文稿，每稿至少改三遍，多则十遍。第一次带领孙伟平和辛鸣，于 2013 年 5 月对所有书稿进行统稿，相当多的书稿几乎改写或重写。在这个基础上，他于同年 7—10 月重新修订全部书稿，改写、重写了相当多的书稿，做了第二次集中修订。2013 年 11 月，王伟光教授将全部书稿打印成册，送请国内若干资深专家学者再次征求意见。韩树英、邢贲思、杨春贵、赵凤岐、陶德麟、侯树栋、许志功、陈先达、陈晏清、张绪文、宋惠昌、赵家祥、郭湛、丰子义等认真阅读了书稿，提出了中肯的修改意见。在这期间，王伟光教授对书稿进行了第三次集中审阅、改写和重写。2013 年 12 月上旬，其对书稿进行了第四次集中审阅和改写。2014 年 1 月 5 日，根据专家意见，编写组成员进行了一次，即第 81 次集中讨论。2014 年 1—3 月分别作了初步修改。在此基础上，王伟光教授于 2014 年 3—6 月进行了第五次集中修改定稿，对每部书稿做了多遍修改，甚至重写。孙伟平也同时阅改了全书，辛鸣、冯鹏志阅改了部分书稿。于 2014 年 6 月 8 日，书稿交由人民出版社和中国社会科学出版社出版。同年 7 月，王伟光教授和孙伟平同志根据编辑建议修订了全部书稿，8 月审改了书稿清样。

在《新大众哲学》即将面世之际，往事历历在目。在这四年左右的时间里，编写组成员牺牲了节假日和平常休息时间，花费了大量的精力和心血。出于对马克思主义哲学的忠诚、信念和追求，老中青学者达成了共识，并紧密凝聚在一起，不辞劳苦，甘于奉献。资深专家的精心指导和严格把关，是《新大众哲学》提升质量的重要条件。《新大众哲学》在写作过程中，参考了《大众哲学》《马克思主义哲学纲要》《通俗哲学》等著述。黑龙江佳木斯市市委书记王兆力、北京观音阁文物有限公司董事长魏金亭、大有数字资源公司董事长张长江、北京国开园中医药技术开发服务中心董事长高武等，提供了便利的会议场地和基本的物质条件，这是《新大众哲学》如期完成的可靠保障。人民出版社和中国社会科学出版社对此书出版高度重视，编辑人员展现了一流的编辑水平和敬业精神。我们一并表示诚挚的感谢！